D1488620

« BEST-SELLERS »

Collection dirigée par Henriette Joël et Isabelle Laffont

THIERRY BRETON

NETWAR

La guerre des réseaux

roman

ÉDITIONS ROBERT LAFFONT
PARIS

Remerciements

La préparation et la rédaction de Netwar *furent largement un travail d'équipe. J'ai eu la chance, tout au long de ce travail, d'être entouré de collaborateurs exceptionnels. Qu'ils trouvent ici l'expression de ma profonde gratitude.*

Je tiens tout particulièrement à remercier mes éditeurs. Que Laurent Laffont et Lorris Murail trouvent ici l'expression de ma fidèle reconnaissance pour le soutien constant qu'ils m'ont apporté sans relâche. Sans eux ce livre ne serait pas ce qu'il est.

Paris, mai 1987.

© Éditions Robert Laffont, S.A., Paris, 1987
ISBN 2-221-05152-1

Chapitre 1

– Vous savez ce que disent les Soviétiques à propos de la Hongrie? demanda Belanov. Que c'est la baraque la plus gaie du camp.

Voronine ne se joignit pas aux rires.

– Alors, vous aussi, ça vous prend? dit-il.

Il laissa errer son regard sur l'ancienne salle de danse. Une très longue pièce au premier étage, dont les fenêtres donnaient sur une rue bruyante de Boston. Un refuge provisoire pour des émigrés définitifs. Ça faisait plus de trente ans que les membres du cercle Pouchkine se réunissaient là, plus de trente ans qu'ils devaient trouver un autre local ou bien rénover celui-ci. Mais il y avait toujours la longue barre d'exercice, les miroirs craquelés, la peinture jaune et les lattes de plancher luisantes d'usure. Même le piano était resté, et la vieille Galina Antipova s'asseyait encore certains soirs devant les touches déchaussées. La plupart des habitués étaient des émigrés de la première génération. A soixante-neuf ans, Voronine faisait souvent figure de benjamin.

– Et qu'est-ce qui nous prend donc, Sergueï Vassilié-vitch? l'interrogea Belanov.

– Cette manie de raconter des histoires stupides.

Le portrait de Pouchkine s'estompait dans les vapeurs du samovar. A la table voisine, les pièces avaient cessé de claquer sur l'échiquier. On connaissait les colères de Voronine et, quand sa voix commençait à gravir les aigus en charriant des *r* terribles, tout s'arrêtait autour de lui.

– Je ne supporte pas la vulgarité soviétique! braillat-il. Ces jeunes qu'ils nous envoient. Je ne supporte pas leur langage, leur grossièreté, leurs manières. Et, par-dessus tout, je ne supporte pas leurs histoires! Et voilà que vous les colportez à votre tour. Vous êtes russes! Je ne veux pas vous entendre raconter des histoires soviétiques!

– Du calme, Sergueï Vassiliévitch, le pria Korenev de sa belle voix de basse. Ces jeunes gens n'ont pas choisi. Ils n'ont fait que fuir le régime, comme nous.

Voronine éclata de rire.

– Poètes! hurla-t-il. Ils sont tous poètes! Et ils arrivent ici, hirsutes, sales, mal élevés, prétentieux, en geignant comme des martyrs de la sainte cause! Tout ça pourquoi? Parce qu'ils ont fait rimer vodka avec *pravda* et que le régime n'a pas voulu publier leurs niaiseries.

Dans la grande salle de danse, la plupart des vieilles têtes blanches ou chauves hochèrent gravement. Rares étaient ceux qui aimaient voir les jeunes dissidents soviétiques frapper à la porte du cercle Pouchkine. Il en venait plus souvent, depuis quelques années. Ils se plaignaient de l'accueil de l'Occident qui, pas plus que le pays natal, n'avait su reconnaître leur incomparable talent, et ils quémandaient un emploi, quelque chose qui ne les empêche pas d'écrire, de l'argent, un logement, une jolie Américaine..., bref, tout ce qui leur était dû. Le tout avec morgue et suffisance. Mais, si Voronine leur vouait une haine viscérale, les autres habitués ne les détestaient généralement que pour une raison bien précise : rien ne distinguait *a priori* un poète maudit d'un agent du KGB.

Voronine se leva et marcha pendant un moment entre les petites tables où les survivants de la vieille

Russie jouaient, discutaient et buvaient. Mais il avait déjà l'esprit ailleurs. Dans quelques heures, la fusée Ariane allait décoller de Kourou. Cela faisait des années que Sergueï Vassiliévitch Voronine n'avait pas manqué un lancement important.

Voronine, se répétait Brian en longeant les maisons d'Orchard Alley, Voro*nine* comme dans *in* and out, pas Voro*naène* comme dans eight, *nine*, ten. Le vieux Russe ne tolérait pas qu'on prononce son nom à l'américaine et, au bout de trois ans de fréquentation assidue, Brian se rendait encore parfois coupable de ce crime impardonnable. Or, quand Voronine était en rogne après lui, il pouvait lui interdire l'accès au premier étage pendant tout un samedi après-midi. Et ça, c'était insupportable.

Brian s'arrêta devant une camionnette rouge pour se regarder dans le rétroviseur. Il s'examina d'un œil critique, lissa ses cheveux blonds, rentra son foulard dans sa chemise et cracha le chewing-gum qu'il mâchouillait depuis deux heures. Voronine n'aimait pas les jeunes gens négligés.

Le portillon restait toujours entrouvert. Le Russe se dispensait même généralement de fermer la porte de sa maison. Brian l'avait parfois entendu prononcer cette phrase étrange : « Le jour où ils voudront entrer, rien ne les en empêchera. »

Brian se dirigea vers la porte puis se ravisa, contournant la maison par la droite. Elles étaient là, derrière, dans le grand jardin, qui montaient la garde comme une meute de chiens fidèles, et Brian se privait rarement d'aller leur rendre une petite visite. Il les contemplait l'une après l'autre et, par leur entremise, saluait les étoiles. Ou bien il leur demandait de transmettre vers les espaces infinis les messages qui lui tenaient à cœur. Brian ne priait jamais Dieu mais sa foi en les antennes de Voronine était sans limites, même s'il ne pouvait s'empêcher de mettre dans les suppliques qu'il leur adressait une pointe d'ironie. Il y en avait dix, pointées vers le ciel, dix grandes antennes paraboliques qui, comme le Créateur, voyaient tout, entendaient tout, savaient tout.

Voronine ne se trouvait pas au rez-de-chaussée. Les bourdonnements et les cliquetis trahissaient sa présence au premier étage. Brian dut se retenir pour ne pas se précipiter dans l'escalier. Il existait entre le Russe et lui tout un rituel que Brian ne se serait pas risqué à bousculer. Autant la porte d'entrée de la maison lui était toujours ouverte, autant il lui fallait mériter à chaque fois l'ascension des quelques marches.

Pas la peine de signaler son arrivée. Voronine l'avait certainement déjà perçue. Il ne lui restait plus qu'à attendre, à déambuler dans la grande entrée et dans le couloir. Brian contempla d'un œil morne les photos épinglées au mur. Des groupes de boyards au début du siècle, des vieillards à barbe blanche, quelques femmes au regard dur. Sur l'une d'elles, on voyait le jeune Voronine en compagnie de Tcherenkov, futur prix Nobel.

Il avança dans le couloir. Comme elles étaient tristes, ces taches claires sur les murs! Comme ils étaient tristes, ces espaces vides dans les vitrines! Voronine avait presque tout vendu au fil des années. Ses icônes les plus rares, sa vaisselle, ses objets précieux. Autrefois, prétendait le Russe, toutes les petites étagères de verre fumé croulaient sous l'or et l'argent. Autrefois, il possédait dix sabres comme celui qu'on voyait accroché au-dessus de la porte de sa chambre. Autrefois, il y avait dans chaque pièce un grand tapis de Samarkand. Brian lui-même avait vu disparaître le plus rare des trésors de Voronine. Un coffret en vermeil incrusté de pierres précieuses. Un jour, il ne s'était plus trouvé dans sa vitrine et, quelque temps plus tard, trois nouvelles antennes avaient poussé dans le jardin. En revanche, la collection de boîtes en argent semblait devoir résister éternellement au pillage qu'opéraient sans pitié le temps et les périodes de dèche.

Brian s'approcha lentement de la Vierge de Kazan, à laquelle le Russe tenait par-dessus tout. Une petite lumière rouge, une lampe en forme de flamme, brûlait jour et nuit devant l'icône. Brian fronça les sourcils puis écarquilla les yeux. La riza qui faisait à la Vierge comme une coiffe ciselée avait disparu à son tour. Le Russe en était donc à vendre quelques grammes d'argent.

– La riza lui cachait la moitié du visage. Elle est plus belle comme ça, tu ne trouves pas?

Brian se retourna vivement.

– Bonjour, monsieur Voronine.

– Bonjour, Brian.

– Est-ce que je peux monter, monsieur Voronine?

Le Russe acquiesça. Brian suivit jusqu'à l'escalier la haute silhouette voûtée. Le temps n'y faisait rien : Voronine l'impressionnait toujours autant. Quand il croisait le regard aigu, quand il contemplait cette tête singulière avec ses cheveux blancs coiffés en arrière, son nez aquilin et sa barbe s'achevant en une pointe incroyablement longue, Brian avait le cœur qui battait aussi fort que le premier jour, quand après de longues hésitations il avait osé aborder Voronine pour lui demander à quoi servaient ces énormes soucoupes dans le jardin. Ç'avait été le début d'une profonde et étrange amitié entre le vieillard et l'adolescent. Aujourd'hui, bien sûr, si Voronine n'avait fait que vieillir un peu plus, Brian avait cessé d'être un enfant. Mais le Russe n'avait pas toujours l'air de s'en rendre compte. Pourtant, dès qu'il s'agissait de technique, son attitude changeait : cela faisait longtemps qu'il ne traitait plus Brian en novice mais en disciple destiné à devenir un expert.

C'était un autre monde. On aurait cherché en vain au premier étage la moindre touche de nostalgie, le moindre souvenir évoquant la regrettée sainte Russie. Et à peine avait-il fini de gravir l'escalier que Voronine lui-même paraissait changer de peau. Parmi ses ordinateurs, ses écrans de contrôle et ses câbles, Brian ne l'avait jamais vu triste. Excité, effondré, furieux, exultant, oui! Mais jamais il n'avait ici cette humeur lugubre qu'il lui arrivait de promener longuement devant ses vitrines quasi désertes. Au premier, Voronine était un combattant.

Grâce à ses antennes, certaines fixes, d'autres mobiles, Voronine captait des dizaines et des dizaines de chaînes de télé, codées ou non (le décryptage était l'un de ses jeux favoris). Il y avait généralement plusieurs postes allumés dans la pièce principale du premier, celle où se trouvait rassemblée la majeure partie du matériel.

Brian ne vit en entrant qu'une seule télé en marche, ce qui était presque exceptionnel. Identifiant sur l'image quelque chose qui ressemblait à une salle de presse de centre spatial, il s'en approcha avec intérêt. Voronine ne faisait plus attention à lui, penché qu'il était sur les composants d'un ordinateur dont il avait ôté le capot. Brian enjamba d'énormes paquets de fils courant sur le plancher et examina de plus près ce qui se passait à la télé. Oui, oui, ça lui revenait, à présent! Il s'agissait d'une Ariane. Voronine lui en avait encore parlé la semaine précédente. Mais Brian avait du mal à s'intéresser à ces engins européens. Pour lui, c'était un peu comme d'aller voir un match de seconde division.

– Pour quand le décollage? demanda-t-il.

– Dans vingt minutes si tout va bien, répondit Voronine en actionnant son petit fer à souder.

Il y avait cinq écrans, cinq claviers, cinq imprimantes, alignés sur une immense table faite d'une planche et de tréteaux, entre les hautes fenêtres aux stores brisés. Par les carreaux sales, on apercevait le jardin et les antennes paraboliques. C'était de là, derrière ses consoles, que Voronine commandait et orientait les grandes corolles étincelantes. Cinq d'entre elles étaient équipées d'un petit moteur et pouvaient suivre ainsi dans leur course les satellites qui traversaient le ciel américain.

Brian vit que le Russe tendait l'oreille. La télé murmurait des phrases incompréhensibles. Il s'agissait d'une transmission en français depuis la Guyane. Brian ne connaissait pas dix mots de français. Voronine, lui, comptait parmi ces vieux Russes blancs dont une partie de l'éducation s'était faite dans cette langue.

– Le compte à rebours a été interrompu, annonça-t-il. Viens, ça nous laisse un peu de temps.

Ils passèrent dans la pièce voisine. C'était là que trônait le seigneur de l'étage, le tout nouveau Vax. La puissante machine recevait, analysait et décryptait l'ensemble des informations fournies par les antennes. Voronine souffrait d'une étrange maladie. C'était une sorte de kleptomane du ciel. Il volait tout ce qui passait à sa portée. Des milliers et des milliers de données. Brian connaissait des garçons de son âge qui avaient fait du piratage informatique leur principale distraction. Mais il y avait chez Voronine quelque chose de complètement différent, quelque chose qui le fascinait. Le Russe ne s'amusait pas. Il ne recherchait pas davantage un quelconque profit. Il engrangeait, il accumulait, comme un vieux fou maniaque. Tout l'intéressait, les retransmissions télévisées, les conversations téléphoniques, les photos géologiques... Mais il chassait avec une assiduité particulière ce qui provenait des satellites soviétiques. Il écoutait notamment les Cosmos espions qui photographiaient sans relâche le territoire américain. On eût dit qu'il était perpétuellement en quête de nouvelles raisons de haïr le régime communiste. A moins qu'il ne traquât autre chose : un moyen de riposte, l'instrument de sa vengeance? Il semblait capable de croire qu'un jour il découvrirait là-haut au milieu des étoiles l'arme ultime qui mettrait les bolcheviks à genoux.

Là-haut, en tout cas, Voronine avait un ennemi personnel. Il s'appelait Cosmos 1692 et le Russe avait juré de le faire parler. Or, depuis deux ans qu'il l'écoutait – et en dehors d'une seule occasion – Cosmos 1692 était

13

resté muet. Il est rare qu'un satellite ne serve à rien. A la vérité, ça n'arrive jamais. Voronine avait tout essayé. Il avait sacrifié une belle icône pour pouvoir acheter un amplificateur et augmenter la puissance de réception d'une de ses antennes : en vain. Cosmos 1692 le narguait, immobile, énigmatique.

La seule fois où Cosmos 1692 s'était manifesté, il s'était produit un second événement tellement plus grave, tellement plus important, que Voronine avait failli ne même pas s'en apercevoir. Ce jour-là en effet la Navette spatiale Challenger avait explosé, entraînant ses occupants dans une mort terrible. Pendant des mois, les nuits de Brian avaient été hantées par les images stupéfiantes. Jusqu'à ce moment précis, l'idée qu'un tel accident pût se produire ne l'avait jamais effleuré. Brian s'était senti trahi. La magie de la science et de l'espace en avait pris un coup.

Brian avait vécu la catastrophe auprès de Voronine, devant une rangée de télés allumées. Six fois, sur six écrans différents, la Navette était devenue un tourbillon de fumée. Le gamin s'était mis à pleurer et le vieil homme à soliloquer en russe, ce qui ne lui arrivait plus guère qu'en dormant. Pour fuir l'obsédant petit film, que toutes les chaînes du monde semblaient prendre un plaisir pervers à rediffuser encore et encore, Brian était allé se réfugier dans la pièce voisine, la soupente aveugle où se trouvait le Vax. C'était alors qu'il avait vu la courbe, le tracé déchiqueté évoquant l'électrocardiogramme d'un cœur qui s'emballe. Il savait d'où ça venait. Cosmos 1692 avait parlé. Il avait appelé Voronine. Le Russe, encore sous le coup de l'émotion, avait simplement émis un grognement étonné, disant :

— Tiens, c'est curieux. Je n'avais pas remarqué. Je ne vois pas ce que ça peut être.

Brian s'était replongé dans l'examen du document, presque vexé. Puis lui apparut ce qui aurait dû leur sauter aux yeux à tous les deux.

14

– Monsieur Voronine! s'était-il écrié. Regardez! L'heure!

– Quoi, l'heure?

– C'est exactement la même, à la seconde près, j'en suis sûr. La Navette et le graphique!

– Tu veux dire que l'antenne a capté ça à l'instant même où la Navette a explosé?

Il s'était penché.

– Oui, tu dois avoir raison.

Voronine avait commencé par supposer que le graphique trahissait l'enregistrement par le satellite de la formidable déflagration, que ses instruments avaient été perturbés, mais il avait bientôt rejeté cette hypothèse comme peu probable. Il devait s'agir d'un message, quelque chose qu'il lui faudrait mille ans pour décoder. Le tracé indiquait une activité brève et intense, rappelant un signal radio extrêmement puissant. Puis Cosmos 1692 était retombé dans son mutisme. Puis, surtout, d'autres accidents avaient eu lieu, échecs américains, échecs européens. Moins spectaculaires, moins dramatiques, mais suffisamment préoccupants pour justifier l'interruption, voire la remise en cause, de tous les programmes spatiaux occidentaux. Or, en ces occasions, le Vax n'était pas branché. Voronine s'en était voulu. Brian lui en avait voulu. Il avait même soupçonné le vieil homme de préférer ne pas savoir.

Mais, aujourd'hui, dans l'attente du lancement d'Ariane, le Vax ronronnait auprès d'eux. Le compte à rebours avait repris. H moins vingt minutes. Ils vérifièrent une dernière fois que tout était en ordre et revinrent se poster face à l'image un peu parasitée de la fusée toute droite dans le carcan de son échafaudage.

De temps en temps, Voronine traduisait pour Brian quelques phrases du commentaire. Les Français attendaient beaucoup de ce vol. Ariane avait certes connu quelques déboires, mais ce n'était rien en comparaison des ennuis qui avaient accablé la NASA. Brian trouva

15

plutôt irritante la façon dont on détaillait les échecs américains, dont on rappelait le drame de Challenger puis l'explosion successive de deux Titan 34D porteurs de satellites de reconnaissance. Si tout se passait bien, l'Aérospatiale pouvait espérer consolider sa position sur le marché. La seule question que semblaient se poser les Français était celle-ci : allait-on pouvoir honorer toutes les commandes? Les Soviétiques commençaient à faire des offres alléchantes...

Cinq minutes, cinq minutes encore, et Ariane irait placer en orbite deux satellites de télécommunications aussi coûteux que perfectionnés. Comme toujours quand approchait le moment d'un lancement, Brian sentit son cœur battre plus vite. Que n'aurait-il donné pour embarquer un jour à bord d'une de ces capsules! Sa passion était telle qu'il arrivait à s'émouvoir même du destin d'une Ariane.

Trois minutes. Voronine tirait sur la pointe blanche de sa barbe, très calme, terriblement attentif. Un doux ronflement emplissait toute la pièce.

La fusée décolla sur son coussin de flammes et de fumée, et commença son ascension en pivotant lentement. Un frisson d'anxiété parcourut la salle de contrôle puis il y eut une clameur de joie et des applaudissements. Brian comprit au moins un mot : « nominal ». Tout était *nominal.* Et tout le demeura pendant soixante-quinze secondes. Alors, sur l'écran, on vit l'engin amorcer une courbe vers la gauche au lieu de continuer droit sa route vers le point du rendez-vous en orbite. A la rumeur consternée succéda un grand silence. La décision fut immédiate, inévitable. La fusée s'autodétruisit à quelques kilomètres au-dessus de l'océan.

Brian observait Voronine. Le garçon se sentait bouleversé, presque nauséeux. Dans des moments pareils, sa foi en la toute-puissance de la science vacillait. Il se rappelait avoir éprouvé des sentiments assez semblables à la mort de son père, quand il n'avait que neuf ans.

Incompréhension, injustice, colère. Pourquoi les choses n'allaient-elles pas comme elles *devaient* aller?

Le Russe, lui, paraissait songeur. Mais la lueur qui brillait dans ses yeux ressemblait fort à de la fureur. Comme Brian, Voronine détestait les échecs. Il n'admettait pas qu'on lance ainsi des engins s'il n'y avait pas cent pour cent de chances qu'ils atteignent leur but. Il appelait ça du gâchis, tout simplement, et dans sa bouche ce mot avait un sens très violent.

Voronine resta longtemps assis sans rien dire devant la rangée de télés. Ce fut Brian qui le tira de sa réflexion.

– Monsieur Voronine! Monsieur Voronine!

– Qu'est-ce qu'il y a, Brian? Pourquoi t'énerves-tu comme ça?

– Cosmos 1692... Venez voir! Cosmos 1692 a émis.

Voronine hocha la tête, comme s'il avait su, comme s'il n'avait pas eu besoin de se déplacer pour voir. Il suivit cependant Brian dans la pièce voisine et se pencha sur le tracé accidenté. Ses instruments n'avaient enregistré qu'une sorte d'accordéon de lignes brisées, exactement comme la première fois. Il sortit d'un tiroir la reproduction du graphique obtenu le jour de l'explosion de la Navette et compara les deux fragments de listing. Ça collait. C'était la signature de Cosmos 1692. Aussi personnelle et aussi révélatrice que des empreintes digitales.

– Qu'est-ce que ça peut signifier? demanda Brian.

– Rien, dit Voronine. Il ne s'agit pas d'un message mais d'un signal, d'un signal radio de très haute intensité capable d'engendrer des interférences localisées... et meurtrières pour les composants électroniques embarqués.

Il posa sa main sur le bras du garçon.

– Brian, es-tu capable d'oublier quelque chose?

– Bien sûr, monsieur Voronine.

– Alors, écoute-moi et oublie très vite ce que je vais te dire. Brian, Cosmos 1692 est un satellite tueur.

*
* *

Scott Dale avait le don de mettre Voronine en colère. Ç'avait toujours été comme ça. Autrefois, quand Scott était tout gosse et qu'ils trafiquaient ensemble des postes de radio ou de télé, puis dans le garage où ils avaient bricolé pendant d'innombrables nuits entre la Studebaker rose et les décombres d'une machine à laver, et plus récemment encore lors de leurs conversations téléphoniques ou de leurs rares rencontres, Scott avait toujours réussi à exciter la rogne du vieux Russe. Parce que Scott ne comprenait rien à rien, parce qu'il était une tête brûlée, un voyou, un arriviste, disait Voronine. Parce que le maître avait vite compris qu'il serait dépassé par l'élève, puis parce qu'il l'avait largement été, pensait Dale. Oui, c'était ainsi qu'il voyait les choses : Voronine avait toujours su qu'un jour ce gamin rebelle et arrogant l'enfoncerait, qu'il deviendrait un grand, un chef, tandis que lui-même continuerait de vivre dans son monde hybride de souvenirs poussiéreux et de machines électroniques. Il ne l'avait jamais admis mais, cependant, il n'avait pas songé une seconde à cesser de lui enseigner le fruit de ses recherches et de ses réflexions. Il préférait se voir en martyr, en victime de l'ingratitude de la jeunesse américaine, et alimenter de la sorte la rage sans le secours de laquelle il ne semblait pas capable de vivre. Il avait la conviction d'avoir fait de Scott Dale ce qu'il était, de l'avoir fait à contrecœur et de ne même pas avoir le droit de le regretter. Car, par-dessus tout, Voronine était fier de son disciple.

Aujourd'hui néanmoins le Russe ne paraissait pas tant de mauvaise humeur que surexcité. Sa voix était si puissante que Scott devait tenir le combiné à dix centimètres de son oreille. Au début, comme Voronine lui parlait d'une « découverte extraordinaire », il se méprit.

18

Il crut que son vieil ami imaginait avoir inventé quelque nouveau concept ou dispositif révolutionnaire. Il l'écouta donc avec scepticisme, voire distraction, car la dernière trouvaille géniale de Voronine remontait maintenant à pas mal d'années. De plus, que Voronine ait mis ou non le doigt sur quelque chose d'intéressant, il préférait ne pas trop en entendre parler. Scott ne tenait pas à se voir traité une fois encore d'ici peu de brigand, de pillard informatique, de voleur d'idées, etc.

Il attendit. Mais Voronine ne se décidait pas à entrer dans le vif du sujet. Il répétait de sa voix un peu effrayante : *extraordinaire, gravissime, urgent, diabolique*.

– J'ai des preuves, Scott, j'ai des preuves.

Dale s'impatienta.

– Enfin, mais de quoi s'agit-il?

Par la fenêtre de son bureau, il contemplait le pavillon du Temps, l'un des joyaux de Futureland. Là-haut brillait la grande horloge molle, inspirée de la montre de Dali. Et les secondes s'égrenaient sur les parois de l'immense structure en forme de sablier.

– Mais puisque je me tue à te répéter que je ne peux pas t'en dire plus! s'exclama le Russe. Il faut que je te voie immédiatement. Pas au téléphone, Scott. C'est trop dangereux. Ah! il n'a pas changé. Il est encore pire que toi!

Scott écarquilla les yeux.

– Pire que qui? Je suis pire que qui? demanda-t-il. A qui parlez-vous? Vous n'êtes pas seul, Voronine?

– Je suis avec Brian. Tu crois peut-être être l'unique garnement capable de sucer la moelle et le sang d'un vieux bonhomme comme moi. Tu vois, il a fallu que j'en reprenne un autre. Méfie-toi, Scott. Il est plus malin que toi. Au même âge, tu ne savais pas en faire la moitié! Bientôt, il te rachètera ton empire et tu cireras ses chaussures.

– Pourquoi avez-vous tellement besoin de moi, dans ce cas? répliqua Dale avec une pointe d'agacement.

19

– C'est un gamin. Il n'est pas encore de taille à s'attaquer à l'hydre.

– Je n'ai pas beaucoup de temps en ce moment, Voronine. Le Parc m'accapare.

– Non, Scott, tu n'as pas changé. On pourrait me couper en petits morceaux sous tes yeux sans que tu lèves le petit doigt. A moins que ça ne serve tes intérêts.

– Venez donc, alors. Je paierai le billet d'avion. Je meurs d'envie de vous faire visiter Futureland. Oui, c'est ça, venez donc admirer ce dernier gadget américain.

– Non, Scott.

Dale soupira.

– Entendu, Voronine. J'irai vous voir dès que j'aurai un moment. Promis.

Voronine raccrocha.

Et voilà, ça y est, songea Scott, j'ai encore réussi à le faire enrager. Mais Fay entra en poussant sur un chariot la maquette des futures orgues aquatiques lumineuses et il oublia sur-le-champ le vieil émigré.

Il y avait toujours plus de monde le week-end. Davantage d'étrangers. Des émigrés de fraîche date, ces Russes qu'on appelait des Soviétiques, des Européens de l'Est, de plus en plus de Polonais ces temps-ci, et parfois même quelques Américains russophiles, comme ce Jacob Carter qui préparait une thèse sur Nicolas II et qui avait sans doute l'impression de rencontrer là le dernier carré des fidèles du tzar. Sentiment un peu excessif. Quoique très âgés, la plupart des membres du cercle Pouchkine conservaient de l'avant-Révolution tout au plus quelques souvenirs incertains, reliques brumeuses qu'ils vénéraient autant que les icônes rescapées de l'exode. D'autres, comme Voronine, étaient nés sous Lénine, et seule une poignée de photos brunies les rattachait au monde auquel ils croyaient appartenir.

En général, Voronine évitait les samedis et les dimanches soir. Sa conversation avec Scott Dale avait ranimé en lui l'ardent désir qu'il éprouvait parfois de se retrouver parmi les siens non plus pour cracher sur l'Empire soviétique, mais pour dire tout ce qu'il avait sur le cœur à propos du peuple américain. A propos de l'indifférence américaine, de l'égoïsme américain, de l'inconscience américaine. De la faiblesse américaine.

– Amérique! Amérique! Toute-puissante Amérique! Est-ce que c'est à un vieillard comme moi de la protéger? Nous vivons dans un pays de lâches. Leur seule préoccupation est de gagner de l'argent. Et pendant ce temps-là les bolcheviks préparent la guerre. Que dis-je, ils ne la préparent pas, ils la font.

En ce dimanche, le samovar chantait moins fort. C'était le soir de la vodka. Les hôtes de passage ne manquaient jamais d'en apporter de pleins cartons. Voronine était au centre de la beuverie. Il y avait ceux qui l'approuvaient et ceux qui ne se seraient pas risqués à le contredire. Autour de lui, on ponctuait sa harangue de clappements de langue, de grognements sourds et de coups de canne sur le plancher de danse usé. Les bouteilles tournaient et les mégots plats des papirossi tombaient par terre dans un nid de cendres et de poussière.

– Ces gens-là ne savent pas ce que c'est que d'avoir une guerre sur leur sol, approuva Platonov. Ils n'ont jamais eu à se battre pour défendre leur femme, leurs enfants, leur ferme, leurs biens, leur liberté.

Voronine décapita du coin de la bouche un gros cornichon et vida d'un trait un petit verre de Moskovskaïa.

– La guerre est là! s'écria-t-il.

Mais il ne montrait pas le sol américain. Il tendait l'index au-dessus de sa tête, accusant le ciel.

– Oui, Sergueï Vassiliévitch, dit Kakoulia, toujours dans les étoiles. Écoutez-le, écoutez-le!

Le vénérable Kakoulia se mit à rire et frappa le ventre de Voronine de son unique bras; l'autre, il prétendait l'avoir perdu à dix-sept ans en luttant au côté de Denikine. On ne s'entendait plus. Là-bas, dans le fond de la salle, Galina Antipova martelait les graves du piano du plat de la main, accompagnant sinistrement la marche qu'entonnait de sa voix bêlante le professeur Lebedev.

– Allez, dis-leur, insista Kakoulia, dis-leur, Sergueï Vassiliévitch, que les étoiles sont soviétiques. Ah! le bon tzar n'avait pas prévu ça. Il ne s'intéressait qu'à la terre, à notre belle terre russe. Il n'avait pas deviné qu'il faudrait conquérir les étoiles.

Voronine avala un autre verre. Il avait le front rouge et ses mains tremblaient légèrement.

– Avec mes idées, ils ont gagné des milliards, reprit-il. Ils ont inondé les boutiques. Maintenant, tous les Américains pianotent sur leurs petites machines. Et ils construisent des parcs d'attractions gigantesques... gigantesques!

Il y avait de plus en plus de monde autour de lui. Des habitués et d'autres, qu'on ne connaissait pas toujours, qui se présentaient comme l'ami d'un ami. L'espace d'un instant, Voronine regretta d'être venu. Lorsqu'il avait bu, il n'aimait pas se sentir entouré par des étrangers. Il savait qu'il ne pourrait s'empêcher de boire encore et il savait que plus il boirait, moins il parviendrait à s'empêcher de parler. Il détestait ce prétendu historien américain, Carter, ce charognard, il détestait ces visages roses et lisses de jeunes Soviétiques, toujours si horriblement attentifs; ils avaient tous un micro greffé dans le cerveau. Il essaya de se lever, de quitter cet endroit, mais retomba lourdement sur son siège en soliloquant.

– Ils m'ont volé mes idées mais quand je leur dis que leur pays est en danger, croyez-vous qu'ils se dressent pour le défendre? Ils se demandent: et combien ça pourrait nous rapporter? Rien? Rien? Alors, nous ne ferons rien non plus. Voilà comment ils sont.

— Tu te répètes, Voronine, glissa Alexandrov, le jeune Alexandrov qui étalait de la peinture avec ses coudes sur des toiles immenses et ne trouvait jamais les dollars assez verts pour lui.

Mais Voronine n'entendait plus. Perdu dans son brouillard, il ne voyait plus au-delà du bord de son verre.

— Et les soviets, que croyez-vous qu'ils fassent pendant ce temps-là? poursuivait-il. Ils ne dépensent pas des milliards à fabriquer des jouets, eux. Leurs satellites ne servent pas à distraire le peuple avec des chaînes de télé. Ce sont des satellites tueurs.

— Allons, Sergueï Vassiliévitch, allons.

— Je sais ce que je dis. J'ai des preuves. Des satellites tueurs. Je les ai, les preuves!

— Allons, Sergueï Vassiliévitch, allons. Ne t'inquiète donc pas. Ici, personne ne peut te voir, il y a trop de fumée!

— Nous sommes trop vieux, maintenant, dit Kakoulia en riant doucement. Ils ne vont pas se mettre à s'acharner sur nous. Le bon tzar est mort, Sergueï, il est bien mort.

Voronine sortit la bouteille de la glace et fit tomber dans son verre une rasade qui lui éclaboussa toute la main. Il lécha les poils blancs qui couvraient le dos de ses doigts avant de tremper ses lèvres dans la vodka.

— Vous êtes tous des fous, gronda-t-il, mais moi je sais qui est l'assassin. Il s'appelle Cosmos 1692, vous m'entendez? C'est lui l'assassin.

Voronine s'était dressé sans paraître s'en rendre compte. Ses yeux roulaient et une goutte d'alcool faisait luire la pointe blanche de sa barbiche. A présent, ils se pressaient à près de quarante autour de lui.

— Qui Cosmos 1692 a-t-il tué? demanda une voix.

– Il a tué plusieurs fois. Il a tué Challenger, il a tué Titan, il a tué Ariane, il a...

Le vieux Russe se tut brusquement. Sa mâchoire se crispa et il promena un regard hébété sur les visages qui le contemplaient. Il n'avait plus l'impression de compter un seul ami parmi eux. Lorsqu'il parla de nouveau, ce fut d'une voix blanche et dégrisée.

– Qui a posé cette question? Qui vient de me poser cette question?

Personne ne répondit.

– A qui appartient cette voix? Je ne la connais pas! Je ne connais pas la voix qui a posé cette question!

Il baissa la tête et demeura longtemps statufié, blême, l'œil vide, les mains tendues devant lui, tandis que les habitués du cercle Pouchkine s'écartaient et retournaient à leurs tables pour reprendre leurs jeux, leurs conversations nostalgiques et leurs beuveries. Il n'y avait plus personne pour l'entendre répéter : *je ne connais pas cette voix, je ne connais pas cette voix.*

Les jours s'écoulaient trop lentement. Il n'aurait jamais la patience d'attendre le samedi suivant. Tous les après-midi, en rentrant du collège, Brian devait se faire violence pour ne pas passer à l'improviste chez Voronine. Mais il savait que le Russe n'aurait pas aimé cela. Voronine était un homme d'habitudes et de cérémonial. Il détestait les surprises (même les bonnes, disait-il) et n'admettait pas qu'on dérange la façon dont il semblait avoir décidé de vivre une fois pour toutes, des années auparavant. Le jour de Brian était le samedi et, en dehors de cela, il était prié de ne pas se manifester.

Il prit prétexte du premier indice alarmant. Paradoxalement, ce fut la manifestation chez Voronine de ce qui devait être pour le moins un désir de tranquillité. Pour la première fois depuis qu'il le connaissait, le Russe avait cadenassé le portillon du jardin. Mais Brian avait repéré l'hiver précédent le trou laissé dans la haie par le gel persistant.

Il trouva en revanche la porte d'entrée de la maison entrouverte. Des fils électriques de couleur pendaient de la moulure au-dessus du chambranle. La démarche un peu irrégulière de Voronine faisait résonner le plancher du premier. Brian l'appela d'une voix teintée d'anxiété.

– Ah! c'est toi, Brian. Monte!

Voronine n'avait pas l'air en colère contre lui. Mais le soulagement de Brian fut de courte durée. Les traits de son vieil ami trahissaient la fatigue et l'inquiétude. Ses vêtements étaient froissés, ses cheveux dépeignés. Brian eut l'impression qu'il n'avait pas dormi depuis leur dernière rencontre.

– Déjà samedi?

– Mais non, monsieur Voronine, c'est jeudi, voyons...

– Ah! bien.

Le Russe errait au milieu de son matériel, les mains chargées de clés et de tournevis, un rouleau de câble sur l'épaule.

– Un nouveau programme, monsieur Voronine? demanda Brian sans conviction.

Puis, foudroyé par une pensée enthousiasmante, il s'exclama :

– Oh! nous allons riposter, c'est ça? Nous allons démolir Cosmos 1692, n'est-ce pas?

Brian se sentit humilié par le regard que le Russe lui jeta. Mais, quand il trouva le courage de lever à nouveau les yeux, il lut sur le visage de Voronine une expression beaucoup plus douce, même si elle était un peu trop triste à son goût.

– Il arrive un jour où on comprend qu'il ne faut pas avoir de trop grandes ambitions, vois-tu, Brian. Quand j'ai fait cette découverte, samedi, j'ai cru que mon devoir était de protéger l'Amérique. Je suis redevenu raisonnable. Je crois que je vais me contenter d'essayer de me protéger, moi.

– Vous?

– Il faut que tu oublies tout ce que tu sais à propos de Cosmos 1692. Tu me l'as promis, tu t'en souviens?

Brian l'admit d'un hochement de tête dubitatif. Comment pourrait-on oublier une chose à laquelle on ne cesse de penser?

– Des alarmes, c'est ça, vous installez des alarmes?

– Et il va falloir aussi que tu cesses de venir ici.

– Quoi?

– Pendant quelque temps. Ce sera plus prudent.

Voronine lui tourna le dos, sans doute pour ne pas affronter sa mine désespérée. Il glissa le bout dénudé d'un fil dans une petite boîte noire et le crescendo vagissant d'une sirène emplit la pièce.

– Je n'ai pas peur, dit Brian d'une voix ferme.

– C'est bien ce qui m'inquiète, répliqua Voronine en s'efforçant de prendre un ton bourru.

– Est-ce que vous avez téléphoné à Scott Dale?

– Il me prend pour un vieux fou. Comme tout le monde.

Scott était le héros secret de Brian. L'homme qu'il rêvait de rencontrer un jour. Mais il désespérait de pouvoir y arriver sans contrarier Voronine. Mille fois, il avait entendu le vieux Russe pester contre Dale et, chaque fois, par un effet curieux, son admiration pour le célèbre fondateur de Grapefruit Inc. s'en été trouvée renforcée. Brian aimait Voronine comme le père qu'il n'avait plus mais il savait que le moment viendrait où, comme Scott autrefois, il lui faudrait s'envoler : il savait que sa place était au côté des jeunes mercenaires de la Silicon Valley. Pourtant, la réaction de Dale le décevait. Il avait vu, lui, le graphique accusateur : Cosmos 1692 *était* un satellite tueur.

– Toi aussi, tu m'abandonneras, dit Voronine, comme s'il déchiffrait ses pensées. Et quand je t'appellerai, tu te diras : le vieux fou divague encore.

26

La tête d'une vis se brisa sous son tournevis.

– Allez, rentre chez toi, maintenant! explosa-t-il. Tu ne vois pas que tout marche de travers depuis que tu es là? Allez, file, je te tiendrai au courant.

Brian dévala l'escalier. Tant d'injustice le révoltait. Dehors, son esprit se mit à fonctionner très vite. Tant pis s'il se fâchait définitivement avec Voronine : il allait prendre les choses en main. Il téléphonerait à Scott Dale et il saurait bien le convaincre, lui, que l'affaire du Cosmos était *bougrement* sérieuse.

Brian quitta Orchard Alley et prit sur sa gauche la petite route en lacets qui menait aux anciennes carrières. Il y avait là-haut un endroit qu'il affectionnait, un terre-plein caillouteux ombragé par un orme. Il s'y rendait fréquemment, quand ses pensées étaient embrouillées, qu'il avait besoin de réfléchir. Il s'y sentait bien parce que rien ne venait l'y troubler et qu'il pouvait embrasser d'un seul regard, assis sur sa pierre préférée, tout le petit monde qu'il aimait. D'un côté, au bord de la route, la maison rouge où il vivait avec sa mère, et de l'autre, parmi les haies, le toit plat et les antennes brillantes qui signalaient sa seconde patrie.

Brian bâtissait mentalement le discours qu'il tiendrait à Scott Dale. Il improvisait à voix haute face à son arbre, se raclant la gorge pour essayer diverses intonations. Il allait avoir quinze ans mais savait qu'au téléphone ses interlocuteurs croyaient souvent avoir affaire à un gamin, voire, horreur suprême, à une fille. Au bout de quelques minutes, il s'estima pourvu d'une liste d'arguments irréfutables et d'inflexions indubitablement mâles.

Quelque chose, un mouvement à peine perceptible, attira son attention. Il sourit. *Allô, monsieur Dale? Ici Brian Stein.* Voronine avait délaissé ses alarmes sonores pour reprendre son observation du ciel. Brian regarda la grande antenne parabolique pivoter d'une quinzaine de degrés. Puis il fronça les sourcils et se mit à compter lentement, à partir de la gauche, en tendant le doigt vers le jardin du vieux Russe. Cinq... six. Pas d'erreur, c'était elle. Il vérifia en partant de la droite. Trois... quatre! Voronine venait de modifier l'orientation de l'antenne qui écoutait Cosmos 1692. Il n'y avait pas touché depuis plus de deux ans.

Brian redescendit le chemin à pas précipités, le cerveau en ébullition. Il ne comprenait pas ce qui avait pu pousser Voronine à faire une chose pareille. Cosmos 1692 était un point fixe dans le ciel tournant à la même vitesse que la terre, à quelque 36 000 km d'altitude. Il paraissait exclu que le satellite ait modifié son orbite. Alors, ce qui venait de se produire ne pouvait signifier que ceci : le Russe avait renoncé. La peur avait eu raison de lui. Brian se sentait furieux, déçu, floué. Il se rendit compte que, sans souci des conséquences, il se dirigeait droit vers la maison de Voronine. Voix virile ou pas, rien ne l'empêcherait de lui dire sa façon de penser.

Le portillon était ouvert et le cadenas traînait par terre au bout de la chaîne. Brian s'approcha d'une démarche décidée mais trouva la porte fermée de l'intérieur. Il n'y avait pas de bouton de sonnette, juste un vieux heurtoir rouillé, une tête de lion tenant un anneau en gueule. Brian n'avait jamais réussi à le soulever. Au moment où il allait se résoudre à frapper, il entendit des voix à l'intérieur. Voronine n'était pas seul. Cela intrigua Brian qui en était venu à croire qu'il était l'unique personne autorisée à pénétrer chez lui. Dévoré par la curiosité, il contourna la maison pour tenter d'apercevoir les visiteurs par une fenêtre. La première ne lui montra que les épais rideaux gris qui assombrissaient en permanence la chambre de Voronine. La suivante donnait sur le carrelage d'une sorte d'office; au-delà, on distinguait un petit morceau de l'entrée et l'envers des marches de bois menant à l'étage. Une ombre était couchée sur le plancher ciré, au pied du mur que Brian savait être couvert de photographies. Mais il ne pouvait voir celui à qui elle appartenait. Un bras s'en détacha et une grande main s'étala sur la plinthe, étirée par un curieux jeu de lumières. Soudain, Brian devina quelque chose d'anormal à la frange de son champ de vision. Il leva lentement la tête et découvrit avec stupeur, dépassant de la plus haute des marches visibles, une paire de bottes. Ces bottes de feutre, il ne les connaissait que trop. Elles restaient le seul lien que Voronine daignait encore entretenir avec son pays natal ; la seule marchandise qu'il se faisait parfois rapporter de là-bas.

Il s'écarta promptement de la fenêtre. Sans prendre le temps d'analyser ce qu'il avait vu, il se mit à courir vers le portillon. Sa fuite ne dura pas longtemps. Au moment où il atteignait le coin de la maison, deux hommes sortaient par la porte principale. L'un grand, maigre, au cou de héron, l'autre pansu comme une bouteille de chianti. Un couple de bandes dessinées. Le petit gros mit la main à sa poche et Brian se crut mort, expédié au paradis des comics. Mais l'échalas retint son comparse par la manche de son costume informe et tous deux filèrent vers la rue. Brian regardait stupidement leurs pieds, leurs chaussettes blanches et leurs chaussures marron : il avait lu dans un magazine qu'on pouvait identifier à ce détail les agents secrets du monde entier. Les deux types montèrent dans une Honda bleu métallisé qui démarra immédiatement.

Oublier tout ça. C'était ce que lui avait conseillé Voronine. Mais il était trop tard. Maintenant, il y avait ces bottes sur les marches. Il se demanda comment il pourrait bouger à nouveau. Pourtant ça y était, il poussait déjà la porte laissée entrebâillée. Et, au-dessus des bottes, affalé en travers de l'escalier, il vit le corps de Voronine dont les bras semblaient étreindre pathétiquement le plancher du premier.

Ses yeux pleuraient, son cœur s'effritait, mais ses jambes continuaient d'avancer. Il savait qu'il lui restait le pire à affronter. Et le pire n'était peut-être pas le morceau de fil électrique rouge enroulé autour du cou de son ami, ni même sa bouche ouverte ou son regard immobile.

Il trouva le courage d'enjamber l'épaule raide de Voronine et d'avancer de quelques pas dans la salle du premier étage. Le pire, c'était peut-être bien ça : ces écrans allumés, ces mémoires violées, ces disquettes dérobées. Tout ce que Voronine et lui avaient élaboré en commun, leurs échanges, leurs jeux, leurs recherches. Brian eut l'impression qu'un œil étranger, un œil assassin, s'était niché dans sa propre tête et il se sentit tout nu devant lui. *Brian Stein, quatorze ans, dix mois et vingt-trois jours, un mètre soixante-sept, cinquante-trois kilos, cheveux blonds tirant sur le roux, yeux bleus, quelques taches de rousseur sur le nez, signe particulier : connaît la nature secrète du satellite géostationnaire Cosmos 1692.*

Les deux tueurs l'avaient vu. Ils venaient de recueillir la preuve qu'il avait partagé, étape après étape, toutes les découvertes de Voronine. Ils avaient étranglé Voronine à cause de ce qu'il savait.

Brian redescendit l'escalier en chancelant. Ils n'auront aucun mal à me retrouver. C'est comme si j'avais semé un million de petits cailloux blancs. Il songea soudain qu'après sa mort sa mère allait sûrement revendre son Grapefruit IV.

Les sentiments les plus divers défilaient dans sa tête. Le chagrin, l'inquiétude, la stupéfaction, le remords. Mais, au bout du compte, c'était l'admiration qui dominait. Le sacré vieux bonhomme avait encore réussi à mettre le doigt sur quelque chose d'important. Et ça l'avait tué. Scott s'en voulait, il s'en voulait à se mordre la lèvre jusqu'au sang. Autrefois, jamais il n'aurait songé à mettre la parole de Voronine en doute. Cesse-t-on d'être un enfant quand on découvre l'incrédulité? *Scott, tu n'es*

plus un gamin. Combien de fois Fay ne le lui avait-elle pas répété? Elle avait sans doute raison. Il avait vingt-huit ans et n'était plus un enfant. Et Voronine était mort.

Mais de quoi pouvait-il bien s'agir? Voronine avait parlé de l'hydre, et il savait ce que cela signifiait dans la bouche de cet incorrigible paranoïaque. Seulement voilà...

Il s'était garé en face de sa maison mais il n'aurait su dire ce qui l'avait poussé jusque-là. A quoi bon ce pèlerinage? Il aurait fallu venir quand il en était encore temps. L'agence de Grapefruit à Boston lui avait remis les clés d'une Porsche. On connaissait son goût pour les voitures tapageuses. Il crut entendre Voronine railler de sa voix rocailleuse ses penchants d'enfant gâté. J'ai vingt-huit ans, Sergueï, et j'ai honte d'être venu te dire adieu au volant de cet engin. Il se revoyait, adolescent, accroupi près de la Studebaker rose de son père, tandis que Voronine faisait passer entre ses mains de magicien les diodes, les transistors, les microprocesseurs. Déjà, le Russe rêvait d'inventions, d'élégance technique, et lui, le jeune Américain, rêvait d'épater les copains, de révolutionner le quartier, rêvait en somme de débouchés. Voronine était mort après avoir extrait les dollars goutte après goutte des biens arrachés autrefois aux bolcheviks, et Dale n'avait encore pu concevoir le programme capable de suivre l'évolution d'une fortune qui se chiffrait en centaines de millions de dollars. Voilà ce qu'on peut appeler des chemins divergents, songea-t-il.

Après, dans le même garage, ils avaient créé de leurs mains le prototype de ce qui allait devenir le premier Grapefruit. Le premier micro-ordinateur destiné à un large public. Voronine en était le véritable géniteur. Mais, sans Scott, il serait resté tel qu'il était né : une chose informe, un vilain petit canard. Scott savait simplifier, adapter, séduire. Moi, plaisantait Voronine, je suis le docteur Frankenstein et toi, tu es la bonne marraine la fée.

Les pensées de Dale tournaient autour d'un souvenir qu'il ne parvenait pas à préciser. Il se revoyait, adolescent, toujours accroché aux basques de son ami russe, ne jurant que par lui, ne parlant que de lui. Puis il se figurait, sans pouvoir repousser cette image, le corps inerte qu'on avait, disait-on, découvert au sommet de l'escalier. Une sorte d'alarme résonnait au fond de sa tête, comme s'il percevait l'imminence d'un danger, une menace. Ces deux plans se confondaient étrangement si bien qu'il avait l'impression que l'objet de cette menace n'était pas lui, le Dale adulte dont la présence dans Orchard Alley n'était connue de personne, mais plutôt celui qu'il avait été, le jeune et ambitieux Scott. La solution lui apparut soudain, comme un voile de fumée se déchire. Il entendit de nouveau gronder dans le téléphone la voix de Voronine. *Il a fallu que j'en reprenne un autre.* Comment l'avait-il appelé? Ah oui, Brian. *Il est plus malin que toi,* avait dit Voronine; *au même âge, tu ne savais pas en faire la moitié.* Cela l'avait agacé. L'idée d'un Voronine amer s'efforçant de créer un Scott bis parce qu'il savait ne plus tenir l'original en son pouvoir lui avait semblé ridicule.

Oui, mais à présent il ne pouvait plus voir les choses de cette façon. Le vieux gourou était mort assassiné. Pour quelle mystérieuse raison, il l'ignorait. Mais il était au moins certain de ceci : si Voronine n'avait pas changé (et, bon sang, cet homme était inaltérable comme un diamant!), il avait partagé avec son nouveau disciple chaque détail de sa découverte. Donc...

Donc le gamin risquait de subir le même sort.

Brian habitait à trois cents mètres de là. Tout le monde le connaissait dans le quartier. Et tout le monde était au courant de sa relation privilégiée avec le « vieil original aux antennes ». Ce qui n'avait rien de rassurant.

Du linge séchait sur un fil devant la petite maison de brique rouge. Dale aperçut par une fenêtre, entre deux rideaux fanés, le visage un peu fade d'une femme qui s'activait au-dessus d'un évier. Elle le regarda approcher avec un air de surprise polie et ouvrit la porte d'entrée avant qu'il n'ait posé le pied sur la marche de ciment. Quand il prononça le nom de son fils, Scott perçut une lueur désespérée dans ses yeux.

– Brian ne veut voir personne, annonça-t-elle d'une voix résignée. Si c'est pour l'enquête...

– Non.

– Ces messieurs de la police ont dû venir à cinq et lui montrer tous leurs insignes, toutes leurs cartes. Il refusait de les croire.

Scott sourit.

– Il est comme fou depuis la mort de M. Voronine, dit Mme Stein. J'essaie de le raisonner, mais le voilà persuadé qu'il est... comment dit-il? le prochain sur la liste! Ça n'a pas de sens, n'est-ce pas? Je ne vois pas pourquoi...

– Il a été traumatisé, suggéra gauchement Scott.

– Ça fait trois jours qu'il n'a pas mis le nez dehors. Excusez-moi, ajouta-t-elle en commençant de refermer la porte, ça n'est pas la peine d'insister. Par moments, j'ai même l'impression qu'il se méfie de moi.

– Attendez! Essayez quand même, s'il vous plaît. Dites-lui que Scott Dale voudrait lui parler. Scott Dale, de chez Grapefruit.

Mme Stein revint au bout d'un moment que Scott trouva interminable. Elle secouait négativement la tête.

– Je suis désolée, monsieur Dale. Vous savez ce qu'il m'a dit? Que la ruse était grossière. De toute façon, il a tout ce qu'il faut et nous ne sommes pas très riches.

– Pardon? Oh, mais je ne voulais rien lui vendre. C'était... Je suis un ami de M. Voronine.

– Je comprends, il a un oncle à Philadelphie. Peut-être devrais-je l'envoyer là-bas en attendant qu'il oublie cette horrible affaire.

Scott aperçut un œil et une touffe de cheveux dans

l'entrebâillement d'une porte, derrière le dos de Mme Stein. L'adolescent surgit brusquement, bousculant sa mère.

— M'man, c'est lui! C'est vraiment lui! s'écria-t-il.

Brian le dévisageait. Et Scott eut l'impression un peu désagréable de percevoir dans son regard quelque chose qui ressemblait à de la déception.

— Je vous croyais plus grand, dit Brian. Et moins...

Scott se tapota l'estomac en riant.

— Moins quoi? Moins gras? Dis-moi, Brian, est-ce que tu aurais quelques minutes à me consacrer? Il faudrait que nous parlions, tous les deux. Ça te dirait, un tour en Porsche?

Dale prit le chemin des collines, suivant les instructions de Brian. Il observait du coin de l'œil son jeune passager dont le dos tout raide ne voulait pas s'abandonner au siège. Brian semblait encore se demander s'il n'était pas tombé dans un guet-apens.

— Tu as bien fait de te montrer très prudent, déclara Scott. J'ai reçu un coup de téléphone de Voronine juste avant...

— Pourquoi avez-vous refusé de le croire? s'écria Brian. Pourquoi?

Les mains de Scott se crispèrent sur le volant.

— J'ai fait une erreur, admit-il. Si je suis venu te chercher chez toi, c'est que je ne veux surtout pas en commettre une seconde.

— Que voulez-vous dire?

— Tu le sais très bien. Si tu te terres dans ta chambre de cette manière, c'est que tu es parvenu à la même conclusion que moi. D'accord?

— D'accord, Scott.

— Tu as peur?

— Non.

— Tu en aurais le droit.

— Est-ce qu'ils vont vraiment essayer de me tuer?

— Qui ça? demanda Dale.

Le gamin hésitait encore.

– Il faut que tu me racontes tout, Brian. Si tu m'expliques exactement ce qui s'est passé, peut-être pourrai-je essayer...

Brian l'interrompit d'un rire un peu forcé.

– Ne vous fatiguez pas. Je les ai vus. Un grand et un petit. C'étaient deux agents secrets soviétiques.

– Et tu as été dire ça aux flics?

– Non. Pas aux flics.

– Pourquoi?

– Si quelqu'un comme vous a refusé de croire M. Voronine, comment voulez-vous que des flics me croient, moi?

Dale soupira.

– Le mieux serait que tu commences par le commencement.

– Oh, c'est très simple, dit Brian. M. Voronine a découvert que les Russes ont fait sauter la Navette, la dernière Ariane, et sans doute au moins deux Titans.

La Porsche fit un écart sur la route.

Quelques kilomètres plus loin, dans un paysage qu'il découvrait distraitement, Scott Dale décida qu'il fallait prendre le témoignage du gamin au sérieux. S'il y avait quelque chose qu'il n'avait jamais songé à mettre en doute, c'était la compétence du vieux Voronine. Certes, la conclusion à laquelle il était parvenu ressemblait davantage à une intuition qu'à une preuve... mais, de preuve, son élimination brutale en tenait lieu. Le côté foudroyant de la riposte valait toutes les démonstrations.

– Tu as vraiment envie d'aller chez cet oncle de Philadelphie?

Brian répondit d'une grimace horrifiée.

– O.K., je t'emmène. Palo Alto, ça t'irait?

– Ouais, je crois que ça m'irait.

– Et ta mère?

Ils convinrent de lui dire – presque – la vérité.

Dale expliqua à Mme Stein que Voronine avait été impliqué malgré lui dans une grave affaire d'espionnage industriel. Il lui apprit, ce que Brian n'avait révélé à personne, même pas aux enquêteurs, que son fils avait été aperçu par les meurtriers. Voilà pourquoi, en tant qu'ancien ami du Russe, il proposait de mettre l'enfant à l'abri pendant quelque temps, « en attendant que les choses se tassent et que l'enquête de la police aboutisse ». Mme Stein, fort inquiète de voir Brian « dans cet état-là », admit sans trop de difficulté que la solution était sage. Elle savait que rien ne pourrait rendre le gamin plus heureux que de visiter cette Silicon Valley dont il lui rebattait les oreilles. Elle promit enfin de n'indiquer à personne, policiers compris, où se trouvait son fils. Après tout, les vacances arrivaient. Un séjour en Californie ne ferait pas de mal à Brian.

Chapitre 2

Fay avait déclenché l'appel général à 16 h 30, alors que Scott se trouvait encore dans l'avion en compagnie de Brian. Le conseil d'administration de SiliCOM était convoqué pour 19 heures. SiliCOM (COM pour communication, COM pour communauté) était une structure chapeautant un certain nombre de projets auxquels les vingt-trois membres de la société s'étaient associés à parts égales et dont le plus important était le gigantesque parc d'attractions de Futureland. Le plus âgé avait quarante et un ans, le plus jeune vingt-trois. Scott Dale était leur président. Au début des années quatre-vingt, Dale avait fondé avec trois ou quatre amis ce qui au départ n'était qu'une association d'intérêts. Il ne s'agissait à l'origine que de promouvoir la micro-informatique naissante et de lutter ensemble contre les grands trusts hégémoniques pour imposer des produits originaux. Progressivement, d'autres francs-tireurs étaient venus renforcer le groupe des pionniers et SiliCOM s'était mué en un vaste réseau organisé dont les membres, quoique souvent placés en situation de concurrence, avaient toujours témoigné d'une irréprochable solidarité.

La plupart des innovations majeures dans le domaine informatique au cours des sept ou huit dernières années, c'étaient eux. La Silicon Valley, c'étaient eux. Dans la presse, on appelait leur association le syndicat des jeunes milliardaires. Mais surtout, pour tous, c'était le *réseau*.

La salle de conférences était vide. Comme toujours. Il y avait une immense et étroite table en forme de croissant sur laquelle étaient posés vingt-deux écrans et vingt-deux imprimantes... et, face à elle, une chaise. Une seule chaise, celle de Scott. Tout près se trouvait un plan incliné présentant un tableau de commandes couvert de boutons et de voyants, d'où surgissait la pomme argentée d'un micro.

Scott regarda sa montre. Plus que quelques secondes. Il s'installa et ouvrit son micro. Les vingt-deux écrans se mirent à clignoter. Puis s'afficha sur chacun d'eux la mention :

VIDPA SYSTEM
Video Permanent Assembly

Peu à peu, des visages remplacèrent les grosses lettres vertes de l'inscription. David Linfarne, le premier, puis la grosse bouille joviale de Philip Hoelstroëm, l'oreille et le bras de Michael Kurtz, toujours assis n'importe comment, Kate Rucker, la plus jolie milliardaire de Californie, John Clyde, le futur astronaute, le prochain passager payant de la navette, puis Iakimidis, Fuller, Bantam, Smith, Gomez, Pahualac, Rossetti... Parmi les derniers apparurent ceux qu'on nommait les « étrangers » : Deville, l'associé français, Brown qui participait depuis son bureau de Londres, Berthold, qui opérait à Francfort, et Huong-Ho, le Coréen qui partageait son temps entre le Japon et la Californie. SiliCOM entretenait des relations avec de nombreux autres partenaires non adhérents dispersés sur toute la planète. A 19 h 04, il n'en manquait que trois à l'appel. Scott nota avec agacement que les retardataires étaient presque toujours les mêmes. Il prononça dans son micro quelques saluts impatients.

Dale était très fier du système Vidpa. Inviolable, il

permettait aux vingt-trois membres de SiliCOM de communiquer de façon immédiate et simultanée, sans sortir de chez eux. Chacun des actionnaires pouvait s'exprimer à son tour et transmettre éventuellement à Dale des documents imprimés. La seule difficulté était d'empêcher les intervenants de s'interrompre et de parler en même temps. Lui seul, dans sa maison de Palo Alto, possédait un réseau complet de vingt-deux écrans et imprimantes. Les autres voyaient simplement se succéder devant eux les visages de ceux qui, ayant appuyé sur un petit bouton, avaient manifesté leur désir de prendre la parole. Pour l'instant, tous avaient le privilège de contempler les joues mal rasées et les yeux plissés par la nervosité de Scott Dale.

A 19 h 11, la séance fut ouverte.

[VIDPA]
DALE : ⟨Te presse surtout pas, O'Neill.⟩
O'NEILL : ⟨Encore une augmentation de capital urgente?⟩
DALE : ⟨C'est le moment de compter votre fric. Je suis sur un coup. On attaque l'Union soviétique.⟩
BANTAM : ⟨Par l'est ou par l'ouest?⟩
ROSSETTI : ⟨Je croyais qu'on avait décidé de créer le Parc pour lutter contre la politisation de Disneyland!⟩
DALE : ⟨Arrêtez vos conneries. Jusqu'à nouvel ordre, je garde la parole.⟩
SMITH : ⟨...⟩
DALE : ⟨Inutile d'insister. Vous parlerez après. Bien. Vous savez que Voronine est mort assassiné. J'ai acquis la certitude qu'il a été éliminé à cause d'une découverte qu'il venait de faire. Il a établi un lien incontestable entre l'activité d'un satellite soviétique intitulé Cosmos 1692 et les échecs répétés des programmes spatiaux Challenger, Titan, Ariane... Autrement dit, les Russes bousillent nos fusées. Comment? Je vais vous le dire.⟩

39

DALE : ⟨N'appuyez pas tous en même temps. Vous êtes encore en train de faire sauter ce système de merde! Bon, utilisons la procédure de vote. Le nº 1 est le premier à partir de ma gauche sur le plan de table. Vous intervenez dans l'ordre jusqu'au nº 22. Appel double si vous désirez passer votre tour. Iakimidis, à toi.⟩

IAKIMIDIS : ⟨Comment sais-tu tout ça?⟩

DALE : ⟨J'ai un témoin. Il a suivi les recherches de Voronine et assisté au meurtre, ou presque. Un gamin de quinze ans. Il va falloir le protéger. Il est en danger.⟩

HUONG-HO : ⟨Si je ne te connaissais pas, je dirais que tu divagues. Je propose une motion : prenons Dale au sérieux.⟩

DEVILLE : ⟨Accordé. J'en suggère une autre : foutons Cosmos je ne sais plus combien en l'air. Challenger, passe encore, mais Ariane, ça, je ne supporterai pas. Combien pensez-vous que ça va coûter?⟩

HOELSTROËM : ⟨Vous êtes tous dingues ou quoi? Le premier président de SiliCOM venu vous raconte n'importe quoi et vous êtes prêts à déclarer la guerre à l'Armée rouge! Je demande qu'on rende la parole à Dale et qu'il reprenne depuis le début, posément et de façon détaillée.⟩

DALE : ⟨Si vous êtes tous d'accord, cette opinion me paraît sensée.⟩

SMITH : ⟨Cessez ce foutoir! J'exige une conférence restreinte des vice-présidents!⟩

DALE : ⟨Non! Tout le monde doit entendre ce que j'ai à dire. Bien, la motion Hoelstroëm est adoptée. Je coupe tous les micros et je vous expose les faits. Si quelqu'un a envie de pisser, qu'il le dise tout de suite.⟩

Fay avait des cheveux bruns coupés court, des grandes lunettes très légèrement teintées et de petits seins pointus. Brian l'imagina d'emblée comme un personnage de bandes dessinées, menant une double vie. Calme, sage, voire quelque peu sentencieuse le jour, audacieuse et passionnée la nuit. Lorsqu'elle l'avait embrassé distraitement en l'accueillant, il n'avait pas senti sans trouble la caresse de ses lèvres sur sa joue. Sa peau exhalait une odeur délicieuse et il y avait dans sa façon de se mouvoir quelque chose qui rendait chacun de ses gestes, même le plus anodin, indéfinissablement provoquant. A part ça, tout indiquait qu'elle était désespérément amoureuse de Scott.

La maison, en tout cas, était carrément sublime. Basse, toute blanche sous le soleil, elle faisait un L au milieu d'un domaine savamment négligé que se disputaient les espaces de loisirs, des buttes sauvages et quelques enclaves regroupant toutes les installations nécessaires en matière d'informatique et de communication.

— Est-ce que je pourrai utiliser la piscine?

Brian apercevait par la verrière l'immense bassin bleu en forme de pomme. L'idée de s'y baigner en compagnie de Fay l'excitait terriblement. Là-bas, à droite des haies, la nuit commençait à tomber sur les courts de tennis. Soudain, il songea à Voronine qui vendait un à un tous ses précieux souvenirs d'émigré russe et il éprouva une sorte de rage devant le luxe dont s'entourait l'homme qui lui devait tout.

— Ça ne le gêne pas, Scott, d'avoir fait fortune grâce aux idées de M. Voronine? dit-il hardiment, sans toutefois oser regarder Fay.

Il regretta aussitôt sa phrase. Non qu'il la désapprouvât au fond de lui mais parce qu'il sentit qu'elle allait lui valoir quelque chose comme une leçon de morale.

— Tu n'as qu'à lui poser la question directement, répondit Fay. Mais, à mon avis, tu vois le problème d'une façon un peu simplette. Il est vrai que Voronine a eu un rôle important dans la conception des premiers modèles. Malgré tout, je ne suis pas sûre que l'essentiel soit là.

41

L'idée révolutionnaire, c'était de croire qu'on pouvait fabriquer de petits ordinateurs bon marché en série et les vendre à un large public. Il fallait avoir le culot de se lancer là-dedans. Scott a risqué sa chemise, pas celle de Voronine.

Brian acquiesça mais sa moue indiquait qu'il n'était pas convaincu.

– Puis, tu sais, le matériel de Voronine coûtait très cher. Tu crois peut-être qu'on peut s'offrir un Vax et une dizaine d'antennes paraboliques en revendant quelques antiquités?

Brian ouvrit des yeux indignés.

– La vérité, poursuivit Fay, est qu'il passait généralement par Scott pour acheter ce dont il avait besoin. Inutile de préciser que tous les articles étaient en promotion. Pour Voronine, Scott a toujours eu une occasion exceptionnelle à saisir.

– Bon, d'accord, d'accord...

Ils allèrent s'asseoir parmi les plantes dans le couloir de verre qui unissait deux des parties de la maison tout en faisant office de serre tropicale.

– Est-ce que vous croyez qu'ils vont me retrouver? demanda brusquement Brian.

– Qui?

– Les tueurs. Je suis certain qu'ils me cherchent.

– Le réseau te protégera, affirma Fay, et Brian se sentit vivement réconforté par la tranquille assurance de son ton.

– Qu'est-ce que c'est au juste, le réseau?

Fay fit de ses bras un mouvement qui semblait dessiner le monde tout entier, la planète et ses cinq continents.

– Individuellement, ils ne pourraient pas lutter, dit-elle. L'extraordinaire est qu'ils l'aient tous compris. Face aux multinationales, face aux États, ils ne représentent rien. De petites entreprises momentanément prospères, voilà tout. Mais, ensemble, ils constituent une force considérable. Une véritable mine d'intelligence, de compétences, de volonté...

– De fric, glissa Brian.

– Oui... et un réseau. Des milliers de gens, ici en Amérique et un peu partout sur la planète.

Petit à petit, comme Fay parlait, comme elle s'animait, ses lunettes glissaient vers le bout de son nez.

– Pour nous, vois-tu, l'important n'est pas d'être riche ou puissant mais d'être indépendant. Or, dans notre société, il faut être très fort pour gagner le droit d'être libre. Le but du réseau est de développer une stratégie autonome, en dehors des rapports conventionnels. A l'écart des affrontements Est-Ouest, Nord-Sud ou tout ce que tu voudras et, surtout, ce qui est sans doute plus difficile, en refusant que tout dans la vie doive s'organiser forcément de façon verticale.

Brian hocha la tête, songeant que décidément il n'aurait pas dû brancher Fay sur ce sujet.

– Verticale, répéta la jeune femme. Enfance, maturité, vieillesse. Formation, travail, loisirs. Matière première, transformation, produit fini. Tout ça, c'est vertical. Tu sais quel est le slogan de Grapefruit?

– Le futur parmi nous, répondit Brian.

– Exact. Ça veut dire que nous sommes entrés dans une autre civilisation... et qu'il serait temps qu'on s'en aperçoive. L'ambition de SiliCOM est de créer des liens transversaux entre les activités humaines. Le Parc est un lieu d'intégration. Il y a là une université nouvelle, d'immenses zones de loisirs, des unités consacrées à la recherche – par exemple sur le sommeil, sur la médecine du futur, l'aquaculture, l'intelligence artificielle... –, il y a un téléport et tout ce qui se fait de plus complexe en matière de communications. Tout est lié à tout, tout cohabite, chaque département enrichit le voisin. Le visiteur, ou le chercheur, est invité à vagabonder. En Chine, au temps de la Révolution culturelle, on envoyait les intellectuels cultiver les champs. Ce n'est évidemment pas comme cela que nous envisageons les choses. Mais nous aimerions que les gens qui viennent à Futureland adoptent une mentalité qui les inciterait à s'inspirer en toute liberté de cet exemple. Que les intellectuels aient envie de savoir comment on cultive les champs, que les aquaculteurs observent l'univers des loisirs, que les médecins connaissent l'informatique, etc. Quand il parle du Parc, Scott dit souvent que c'est une usine à chaînons manquants.

– Oh! dit Brian. M. Voronine prétendait que c'était un repaire de requins sans scrupules.

Le sourire de Fay se pinça.

– Bien, dit-elle, peut-être pourrions-nous finir de visiter la maison.

Scott avait bien préparé son dossier. Bien sûr, personne n'avait oublié les échecs répétés de la NASA, mais le rappel de cette succession d'événements désastreux n'en restait pas moins impressionnant.

Janvier 86 : Explosion en vol de Challenger
Avril 86 : Explosion de Titan-34D
Mai 86 : Destruction forcée de Thor-Delta
Mars 87 : Destruction d'une fusée expérimentale
Mars 87 : Destruction d'Atlas-Centaur

Face à cela, et durant la même période de quinze mois, en tout et pour tout : trois succès. De l'aveu même du Pentagone, les forces armées américaines risquaient de se trouver prochainement dans l'incapacité d'assurer les communications en mer de la Navy. Il ne resterait en effet bientôt plus aucun satellite FitSatCom opérationnel en orbite et la NASA ne possédait plus qu'une seule fusée Atlas susceptible de réaliser un tel lancement. Si la série noire se poursuivait, si le prochain Atlas échouait lui aussi, les bombardiers et les sous-marins américains ne tarderaient pas à être coupés de leur commandement. Un trou de deux ans, délai nécessaire pour que la NASA puisse construire un nouvel exemplaire d'Atlas-Centaur.

Du côté d'Ariane, les choses ne se présentaient guère mieux. L'auteur de ce désastre technologique... et psychologique avait un nom : Cosmos 1692.

Immédiatement après la fin de son exposé, Scott avait été pressé de questions sur le fonctionnement de ce satellite tueur par ses amis. Chacun y allait du sien et, les interrogations fusant de toutes parts, il avait eu du mal à répondre avec toute la précision que la gravité de ses révélations imposait.

– Non, l'arme embarquée ne semblait pas être un laser de puissance. La miniaturisation de générateurs cohérents à haute énergie n'était pas pour demain, à l'Est comme à l'Ouest.

– Oui, il s'agissait vraisemblablement d'une arme à hyperfréquence. Un canon embarqué sur le satellite, piloté de la Terre, et capable d'atteindre une cible en plein vol avec une extraordinaire précision.

– Ce que ce canon envoyait? Des ondes radio à hyperfréquences extrêmement localisées et confinées dans un faisceau très étroit, à coefficient de dispersion quasiment nul, mais terriblement intense.

– L'effet de ces ondes sur les fusées? Aucun. Par contre, dès qu'elles atteignaient le moindre composant électronique, le moindre élément de mémoire, le moindre microprocesseur, alors elles le vidaient de son contenu. C'est comme si elles remettaient tous les compteurs à zéro. Elles détruisaient tous les programmes, effaçaient comme d'un trait de gomme toute l'intelligence embarquée à bord. Les fusées devenaient folles. Ne répondant plus à leur plan de vol, étant totalement sourdes aux ordres venus de la base de lancement, elles s'autodétruisaient alors d'elles-mêmes, comme prévu lorsque la trajectoire réelle s'éloigne trop de la trajectoire programmée.

– Non, ces ondes n'avaient sans doute pas détruit les installations électroniques de la base de lancement. Et ce, pour la bonne raison que le canon à hyperfréquence ne tirait jamais avant que la fusée ne soit très haut dans le ciel... et surtout qu'elle ne se trouve à plusieurs kilomètres de la côte, au-dessus de l'océan. Ainsi l'impact du faisceau avec la Terre avait lieu... dans la mer, à plusieurs kilomètres, voire dizaines de kilomètres de toute installation électronique sensible au rayonnement.

Sa dispersion électromagnétique étant très réduite, l'onde ne créait ainsi aucun dégât alentour. Son impact n'était donc pas décelable et la brièveté de son émission la rendait pratiquement irrepérable.

– Oui, l'arme pouvait servir plusieurs fois. Mais il fallait sans doute attendre plus d'un mois pour que les quatre panneaux solaires du satellite tueur aient emmagasiné à nouveau l'énergie suffisante, nécessaire à l'émission du faisceau. Cosmos 1692 était en quelque sorte un fusil de l'espace à un coup... rechargeable en quelques semaines!

– Oui, le Pentagone semblait se douter de quelque chose. En effet, d'après un contact sûr du réseau à Washington, une telle solution avait été envisagée par les analystes du Pentagone. Un rapport ultra-confidentiel avait même été déposé en mars dernier sur le bureau du président Reagan, indiquant qu'un sabotage soviétique était de plus en plus sérieusement envisagé pour expliquer les différents échecs... inexplicables de la NASA. Mais d'après ce même contact, à ce jour, le gouvernement américain ne devait sans doute posséder aucune preuve tangible pour étayer cette thèse; et de toute façon, il semblait avoir peur de se donner les moyens de la creuser. De la façon dont les choses s'annonçaient, les Soviétiques étaient en passe de s'approprier sans partage la maîtrise de l'espace. Quand il eut terminé ses explications, Scott accorda vingt minutes de pause. Puis la conférence Vidpa reprit.

[VIDPA]

DALE : ⟨Donc, nous sommes d'accord. La première chose à faire est de mettre au point un programme d'écoute destiné à tenter de vérifier les observations de Voronine. Nous placerons Cosmos 1692 sous surveillance vingt-quatre heures sur vingt-quatre.⟩

SMITH : ⟨C'est ridicule, je le répète. Si le Russe a raison et que ce satellite est muet, nous ne recevrons rien. Nous n'allons pas attendre le prochain lancement pour voir si la fusée explose !⟩

RUCKER : ⟨Il faudrait adresser un appel à tout le réseau pour le cas où quelqu'un, quelque part, se serait trouvé à l'écoute de Cosmos 1692 au moment d'un des derniers accidents. Les chances sont faibles mais on ne sait jamais. Il y a de plus en plus de types qui s'amusent à pirater les transmissions. Il se peut que l'un d'eux ait capté le même signal sans aller comme Voronine jusqu'à l'associer à la catastrophe.⟩

DALE : ⟨Excellent. La seconde chose, dont je compte me charger particulièrement, est la protection du jeune Brian. Toujours dans l'hypothèse où nous admettons les conclusions de Voronine, Brian est probablement en danger. Pas tant à cause de sa qualité de témoin unique du meurtre qu'en raison des informations qu'il est le seul à détenir – du moins à la connaissance des tueurs. L'ennui est qu'en le conservant à proximité de nous nous courons le risque de voir ceux qui le recherchent remonter jusqu'ici. Oui, Giles ?⟩

GILES : ⟨N'est-ce pas au contraire une manière d'apprendre ce que nous désirons savoir ? Si le gamin nous sert en quelque sorte... euh... excusez le mot, de chèvre, nous recueillerons peut-être des indices décisifs. Nous pourrons identifier les assassins de Voronine, non ?⟩

RUCKER : ⟨Ignoble.⟩

O'Neill : ⟨Giles a raison. Et ça n'a rien d'ignoble. Si nous parlons bien du KGB – autant être clairs –, il y a de fortes chances qu'ils retrouvent Brian de toute façon. Il me paraît judicieux d'essayer de retourner en notre faveur cette fâcheuse probabilité.⟩

Smith : ⟨D'accord. Mais une telle éventualité ne peut s'inscrire que dans un plan de riposte global. Ceci ne peut pas être le fait d'une assemblée aussi nombreuse que la nôtre. Il faut désigner un groupe exécutif chargé de l'organisation de la riposte. Et définir les responsabilités de chacun.⟩

Clyde : ⟨Puis-je me permettre d'attirer l'attention de l'honorable assemblée sur mon triste sort?⟩

Dale : ⟨Quand part le vol exactement?⟩

Clyde : ⟨Dans vingt-neuf jours, quatorze heures et huit minutes.⟩

Hoelstroëm : ⟨Et combien a versé SiliCOM pour que son représentant le moins précieux saute à bord de la prochaine navette?⟩

Clyde : ⟨Cinquante mille dollars.⟩

Hoelstroëm : ⟨Nous ne pouvons pas nous permettre une telle perte. Il faut absolument assurer Clyde.⟩

Smith : ⟨Il faut absolument que dans vingt-neuf jours, quatorze heures et huit minutes Cosmos 1692 soit hors d'état de nuire.⟩

Gomez : ⟨Sinon nous ne serons plus que vingt-deux au prochain comité central.⟩

Berthold : ⟨Un mois pour démolir un satellite soviétique, ça me paraît juste.⟩

Hoelstroëm : ⟨Tu as raison. Il vaut mieux essayer de revendre le billet. Proposons-le à quarante mille dollars.⟩

Elle n'avait rien dit. Elle avait promis à Brian de se taire, même face à la police, et Mme Stein tenait toujours

48

parole. D'ailleurs, qu'est-ce qui lui prouvait que ce type était vraiment un flic? On n'en voyait qu'à la télé des flics qui avaient une allure pareille. Aussi gras, aussi mal habillés. Sans arrêt en train de s'éponger le front. Il y avait quelque chose de bizarre dans sa physionomie mais elle avait mis du temps à repérer quoi. Il avait une oreille plus petite que l'autre. Nettement. Elle lui avait répondu en regardant ses pieds pour éviter de le dévisager de façon gênante.

Le FBI. Voilà que le FBI se dérangeait pour Brian. Enfin, si cet homme avait dit la vérité. Mme Stein doutait que le gouvernement puisse confier d'importantes responsabilités à des gens qui présentaient aussi mal. Oui mais s'il n'avait pas menti? Brian était dans de beaux draps. A peine quinze ans et déjà recherché par la police! Elle n'aurait jamais dû le laisser partir. Avec un inconnu, de surcroît. En tout cas, cette fois, au moins, elle était sûre qu'il s'agissait bien du fameux Scott Dale. Il y avait des photos de lui plein les revues de Brian. Mais c'était quand même un inconnu. Dieu sait ce qui avait pu se passer chez le vieux Voronine! Elle ne parvenait pas à croire que son fils pouvait avoir un rapport quelconque avec un meurtre aussi horrible. Non, c'était comme Brian avait dit. Il avait surpris un secret et il fallait qu'il se fasse discret pendant quelque temps. Elle aurait donné cher pour avoir de ses nouvelles.

C'était la première fois de sa vie que la peur la tenaillait ainsi. Elle avait sans cesse l'impression que des individus inquiétants rôdaient autour de sa maison. Elle voyait des ombres. Mme Stein connaissait toutes les voitures du quartier. Il en circulait de nouvelles, qu'elle épiait par la fenêtre de sa cuisine. Des voitures étrangères. *Si Brian ne revient pas, je vais devenir folle.*

L'homme du FBI avait pourtant essayé de se montrer rassurant. Du moins au début. Son seul but était de retrouver le ou les assassins de Voronine, le grand ami de Brian. Il fallait qu'un tel crime soit châtié. Peut-être était-ce l'œuvre d'un maniaque, avait-il supposé sans paraître y croire le moins du monde. Le quartier ne serait plus en sécurité tant qu'il courrait. Brian s'était affolé, il fallait le ramener à la raison. Mme Stein savait certainement où il était parti. Puis il s'était fait plus menaçant, insinuant que, si Brian fuyait les enquêteurs, on ne manquerait pas d'en tirer des conclusions fort désagréables à son égard. *Souvenez-vous qu'un homme est mort, madame Stein. C'est grave.* Longtemps après son départ, elle avait eu l'impression que son œil inquisiteur continuait à traîner dans le salon.

Mme Stein surveillait le moindre de ses gestes. Elle n'osait plus qu'à peine regarder en direction de la chambre de Brian. Malgré tout, elle se sentait fière d'avoir su garder le silence. Depuis la disparition de Mark, cet enfant était tout pour elle. Mais elle désespérait de représenter un jour quelque chose pour lui. Voronine et maintenant ce Dale, Brian avait besoin d'un nouveau père, quelqu'un à qui se confier, quelqu'un avec qui partager ses passions, les ordinateurs, les fusées, toutes ces choses. Mais Mme Stein savait qu'on ne lui ferait jamais de place dans cette famille-là.

Il n'y avait pas de vent dehors et pourtant les draps bougeaient sur le fil à linge. Mme Stein se leva et s'approcha d'un pas raide de la fenêtre en serrant son grand châle en crochet sur son cœur.

[VIDPA]
IAKIMIDIS : ⟨Je voudrais soulever un problème qui me semble fondamental. Je considère que la façon dont nous abordons cette affaire met en cause ce que j'appellerai nos statuts. Attention, je ne dis pas que je suis forcément en désaccord mais simplement qu'il faut y réfléchir à deux fois. C'est un choix qui engage notre avenir.⟩

HUONG-HO : ⟨Personnellement, je n'ai jamais adhéré à cette mentalité de boy-scout, je veux dire à ce que certains d'entre vous appellent le non-alignement.⟩

DALE : ⟨Non-alignement, ça ne veut pas dire que nous n'avons d'opinion sur rien, ça signifie que nous avons décidé de n'être les suppôts d'aucun système, que nous nous déterminons en fonction des circonstances. Sili-COM est une association libre et démocratique.⟩

DEVILLE : ⟨La situation créée par Cosmos 1692 nous oblige à choisir notre camp.⟩

DALE : ⟨Je ne crois pas.⟩

ROSSETTI : ⟨C'est pour ça que tu veux faire sauter le satellite?⟩

DALE : ⟨Précisément. C'est pour ne pas choisir.⟩

HUONG-HO : ⟨Moi pauvre Asiatique, moi pas comprendre.⟩

GILES : ⟨Moi véritable Américain, moi pas comprendre non plus.⟩

DALE : Philips peut vous en parler. Nous en avons souvent discuté, lui et moi.⟩

PHILIPS : ⟨Euh..., oui. L'idée est que... Enfin, vous la connaissez tous.⟩

DALE : ⟨Allez! Parle-nous de Cosmos.⟩

PHILIPS : ⟨Tout à fait. Voilà. Imaginons..., euh! que nous ne disions rien. Que se passe-t-il? Les Russes continuent à descendre impunément nos lanceurs jusqu'à ce que, enfin, quelqu'un d'autre découvre ce qu'a découvert Voronine.⟩

DALE : ⟨Éventuellement.⟩

PHILIPS : ⟨Oui, c'est ça, éventuellement. Dans ce cas, c'est-à-dire si nous nous taisons et si nous n'agissons pas non plus, nous faisons le jeu des Soviétiques. Évidemment. Le programme spatial américain sera arrêté, avec toutes les conséquences que cela suppose. A propos, vous savez sans doute que les Russes proposent depuis quelques mois de mettre sur orbite des satellites occidentaux. Merci bien.⟩

51

BANTAM : ⟨C'est absurde. Il n'est pas question d'attendre que le massacre continue.⟩

PHILIPS : ⟨C'est ça. Oui. Mais l'autre solution, ce serait alors de prévenir les autorités américaines. Mettre toute la machine en marche. Ça pourrait paraître l'attitude la plus simple et la plus légitime. Voilà, légitime. Et puis, en tant qu'Américains, nous pourrions trouver cela souhaitable. Il s'agit de défendre notre pays, n'est-ce pas? Eh bien, notre vocation de groupement non aligné nous engage à ne pas le faire.⟩

SMITH : ⟨Pourquoi? Pourquoi ne ferions-nous pas notre devoir?⟩

PHILIPS : ⟨Parce que ce serait un trop beau cadeau. Et de surcroît un cadeau dangereux. C'est ça. Oui. Nous pèserions dans un équilibre que nous ne souhaitons pas rompre, enfin... pas de cette façon-là. Nous ne devons contribuer à une évolution que si elle se fait à notre avantage. Le blocage du programme spatial américain ou l'intensification de l'IDS ne serait pas à notre avantage. Nous ne désirons pas que l'Union soviétique soit mise au ban des nations, nous ne désirons pas que des représailles soient lancées contre ce pays...⟩

DALE : ⟨Nous ne désirons pas non plus que la vulnérabilité de la défense américaine soit démontrée. Ce sont autant de facteurs de déséquilibre, tous pouvant conduire au pire... et ne pouvant même conduire qu'à la 3ᵉ guerre mondiale! Après tout, les soviétiques se sont livrés à un acte de guerre sur notre territoire. La riposte de notre gouvernement pour se préserver devant l'opinion ne peut être que... nucléaire.⟩

GOMEZ : ⟨Non-alignement ou politique de l'autruche, Dale?⟩

DALE : ⟨Nous n'avons pas dit que nous ne ferions rien. Nous détruirons ce satellite tueur.⟩

SMITH : ⟨Nous déclarons la guerre à l'Union soviétique?⟩

HOELSTROËM : ⟨Je suggère de signer : un groupe de Californiens mécontents.⟩

SMITH : ⟨D'accord pour bousiller Cosmos 1692, oui d'accord. Mais après?⟩

PHILIPS : ⟨C'est tout. A mon avis, le problème sera réglé pour longtemps. De toute façon, nous sortirons perdants de l'affaire, nous les Américains. Oui. La perte de Cosmos ne sera rien pour eux en comparaison de ce qu'il nous aura coûté. Ils auront reçu le signal : nous pouvons tuer aussi. Nous ne voulons pas parler mais nous pouvons tuer. Ce sera un échange : silence contre silence. C'est ça. Ils ne bougeront pas. Ils sont assez intelligents pour enregistrer simplement la riposte. A nous d'être suffisamment rapides et efficaces.⟩

DALE : ⟨D'ailleurs, je ne pense pas que les Soviétiques aient jamais envisagé de saboter systématiquement tous nos lancements, ou ceux d'Ariane. Il s'agit plus probablement d'un test. Ils testent nos forces, notre capacité de réaction... et aussi leur propre potentiel. C'est un exercice à tir réel qui ne laisse aucune trace. Ils nieraient les faits, cela va de soi. Nous ne pouvons riposter qu'en employant la même méthode : d'un coup imparable et invisible.⟩

DOGSON : ⟨Je pensais à l'affaire du Boeing coréen et je me disais que les Soviétiques sont en train de prendre de mauvaises habitudes. Celle notamment de tester leur matériel militaire sur des engins civils.⟩

PHILIPS : ⟨C'est le paradoxe. Oui, tout à fait. Ils doivent considérer... oui, à juste titre, malheureusement, qu'ils prennent moins de risques en agissant ainsi. Attaquer une cible militaire, c'est un acte de guerre. Abattre un engin civil, c'est un incident grave susceptible de remettre en cause le processus de détente, etc. Dans tous les pays occidentaux, actuellement, que ce soit face aux attentats terroristes ou aux agressions d'État, les civils sont en première ligne. Voilà exactement pourquoi nous devons nous défendre nous-mêmes.⟩

RUCKER : ⟨Mais c'est fou, enfin! A vous entendre, on croirait que les Russes nous attaquent, nous, *personnel-*

lement, que nous sommes engagés dans un conflit qui ne concernerait pas les autorités américaines!⟩

DALE : ⟨Ce n'est peut-être pas comme ça qu'ils le perçoivent, mais nous devons répondre comme si c'était le cas. Nous ne pouvons faire confiance à personne d'autre qu'à nous. Nous sommes menacés, nous, citoyens américains, et il nous appartient de réagir en conséquence. Et ce de la seule manière qui nous soit acceptable, c'est-à-dire sans engendrer de crise, de façon ferme mais discrète. Attitude dont sont incapables les autorités politiques ou militaires de ce pays.⟩

RUCKER : ⟨Où se trouve Brian en ce moment?⟩

DALE : ⟨Quelque part dans la maison. Avec Fay. ⟩

RUCKER : ⟨Est-il possible de le convoquer? Je suppose que nous sommes nombreux à souhaiter l'entendre raconter lui-même ce qu'il a vu et ce qu'il a compris.⟩

DALE : ⟨Très bien. Cinq minutes de suspension.⟩

[INTERRUPTION VIDPA]

Conway avait lui-même demandé de finir une carrière sans histoire d'agent du FBI toujours bien noté à la DDR (Direction des Dissidents Résistants). Cette section un peu à part du FBI était chargée de surveiller les activités des dissidents venus des pays de l'Est pour trouver l'asile politique aux USA. C'est en effet parmi eux que se recrutaient le plus grand nombre d'espions dormants établis sur le territoire américain. Les hommes de la DDR avaient pour principale mission d'infiltrer les différents cercles d'amis ou d'ennemis de l'Union soviétique, dans lesquels ils finissaient toujours par passer.

Depuis trois ans qu'il avait obtenu sa mutation, avec le grade de principal, Conway n'avait jamais eu à se plaindre de la DDR. Les horaires étaient souples, le travail tranquille, mais c'est surtout sur la fiche de paye que se trouvait la différence. En effet, tous les principaux de la Direction avaient la possibilité d'augmenter sensiblement leurs fins de mois grâce aux primes attachées aux nombreuses missions de terrain qu'ils pouvaient mener de leur propre chef.

L'enquête sur la mort de Voronine, compte tenu de ses origines, avait tout naturellement échu à la DDR. Conway avait tout fait pour en être chargé. Un peu sans doute pour sortir du train-train dans lequel il se trouvait à quelques mois de la retraite. Et puis peut-être, surtout, parce que depuis quelque temps il repensait souvent – trop souvent – à ses débuts de jeune inspecteur à la Criminelle.

Quelle était cette boisson qu'ils faisaient chauffer dans un grand vase en métal? Ah oui, le thé. Et quelle était cette odeur? Un mélange plutôt pénible de cuir, de transpiration, de tabac, d'alcool et d'autres choses qu'il ne parvenait pas à identifier. Il décida d'appeler ça l'odeur de la vieille Russie.

On lui avait dit que le samedi les portes du cercle Pouchkine étaient ouvertes à tous. Pourtant, son entrée n'était pas passée inaperçue. Il avait eu l'impression que toutes les conversations s'arrêtaient d'un coup. Ensuite, elles avaient repris, mais un ton plus bas. Personne ne le regardait. Il avait l'habitude qu'on évite de le regarder, à cause de son oreille. Mais là, ça n'avait rien à voir. Ces vieux *Bohunks* tzaristes n'aimaient pas qu'on vienne fouiner chez eux.

Et quelle pouvait être la moyenne d'âge? Entre quatre-vingt-douze et quatre-vingt-quinze? C'était effrayant. Il n'avait jamais vu une telle concentration de barbes longues d'un pied.

Conway s'approcha du samovar et tordit la bouche de surprise. Il n'en coulait que de l'eau chaude. Ne pouvaient-ils pas se servir d'une bouilloire à la place de ce fourbi? Il les regarda avec dégoût diluer dans un flot brûlant le jus noirâtre qui marinait au fond des théières.

Il demanda à une vieille babouchka qui préparait son thé s'il pouvait avoir une vodka. Elle lui répondit qu'au cercle Pouchkine les étrangers apportaient eux-mêmes leurs bouteilles.

Du côté d'Orchard Alley, on ne connaissait à Voronine que deux habitudes sociales. Celle de recevoir le petit Brian tous les samedis et celle de fréquenter régulièrement un club d'émigrés russes de Boston. Le silence buté de Mme Stein avait incité Albert Conway à se contenter provisoirement de la seconde piste. Il restait pourtant convaincu que, s'il parvenait à retrouver le gamin, il ne tarderait pas à mettre la main sur les assassins. Il soupçonnait néanmoins que l'affaire risquait de se révéler plus compliquée que ce que semblaient imaginer les flics du coin qui avaient instruit le début de l'enquête. La fuite de Brian était sûrement révélatrice mais il ne savait pas de quoi. La probabilité pour que le jeune Stein fût l'auteur du meurtre lui paraissait fort mince. Brian avait pris peur. Sa mère, visiblement, tremblait pour lui.

Conway avait rassemblé tout ce qu'il avait pu trouver sur Voronine. Pas grand-chose. Rien de récent, en tout cas. On savait de lui qu'il était un anticommuniste farouche et qu'il avait été considéré à la fin des années trente comme un jeune physicien plein d'avenir. A vingt ans, ses travaux retenaient déjà l'attention. Il avait émigré en passant par la Turquie à peu près à l'époque de Stalingrad, et le FBI avait surveillé ses activités, sans avoir rien à lui reprocher, jusqu'à la fin de la guerre froide. Ensuite, on s'était peu à peu désintéressé de lui et les archives ne contenaient rien à son sujet qui fût postérieur à 1972. A part un détail isolé et d'une portée douteuse, que Conway se réservait d'explorer si ses recherches en cours échouaient : l'adresse d'un antiquaire de Providence à qui Voronine revendait parfois des souvenirs de famille.

Il avait réussi à s'asseoir et les conversations se poursuivaient en russe autour de lui comme s'il n'avait pas été là. Mais il percevait leur gêne derrière les mots qu'il ne comprenait pas. On attendait avec impatience qu'il quitte la table.

– Je suis l'oncle de Brian, dit-il soudain. Vous savez, le petit Brian, que ce pauvre M. Voronine aimait tant. Il a disparu de chez lui. Sa mère est dans tous ses états. C'est elle qui m'a envoyé ici. Mais vous ignorez où il est, n'est-ce pas?

Conway surprit une lueur d'attention dans l'œil de ses voisins. Il vit hocher deux ou trois têtes, mais personne ne lui répondit. Il poursuivit son monologue.

– C'est affreux pour elle, vous pensez bien. Il paraît que le gamin avait l'air terrifié. Il s'est imaginé je ne sais quoi. Il ne risque rien, bien entendu. C'est un crime de rôdeur. La loi n'est pas assez sévère avec ces gens-là.

Cette fois, il y eut quelques grognements d'approbation.

– Je vois bien que je vous dérange, dit Conway. Ce que je fais là, c'est pour la mère. C'est un joli portrait que vous avez sur ce mur. Le fondateur du club, sans doute.

– C'est Pouchkine.

– Oui, naturellement.

Ça y était, on lui avait parlé. Il eut l'impression que le plus dur était fait.

– Ah! la poésie, dit-il. C'est beau. Moi-même, j'en écrivais quand j'étais plus jeune. Maintenant, bien sûr, les affaires... Ce M. Voronine devait être un homme passionnant.

– On ne le connaissait pas très bien, finalement, lui avoua son voisin. Il était très secret.

– Oui, dit Conway, je crois qu'il s'intéressait beaucoup à l'astrologie, à toutes ces choses.

57

Un autre, qui lui faisait face, corrigea :

— A l'astronomie. D'après Lebedev, c'était un crack en informatique.

— Je comprends. Il était professeur, peut-être.

— Pas du tout. Voronine était un solitaire. Nous étions sa seule famille.

Conway crut que le vieillard allait essuyer une larme.

— Il n'avait donc pas d'amis, en dehors d'ici? demanda-t-il.

— Brian. Il ne nous parlait que de Brian. Et encore... rarement.

— Un enfant, remarqua Conway.

— Il y en a eu un autre, avant, intervint un petit bonhomme rondouillard. Mais je crois qu'ils étaient fâchés.

— C'est malheureux, dit Conway. Un autre enfant?

Le vieillard assis face à lui pleurnichait franchement, à présent, mais c'était probablement une maladie des yeux.

— Oh, l'autre? dit-il en tamponnant ses paupières fermées. Il n'en parlait plus depuis longtemps. D'ailleurs, il ne doit plus être si jeune que ça. On ne se rend pas compte... On est vieux, on reste vieux. Mais ça n'empêche pas les enfants de devenir adultes. Comment s'appelait-il, déjà?

— Mais si! protesta le petit rondouillard. Il pestait encore contre lui, l'autre jour. La dernière fois, oui, c'était la dernière fois qu'on le voyait.

Conway secoua tristement la tête.

— Ils sont restés fâchés jusqu'au bout, alors?

— C'était de l'histoire ancienne. Mais Sergueï Vassiliévitch avait la rancune tenace.

— Je comprends, dit Conway, une de ces disputes futiles qui empoisonnent une amitié, parfois toute une vie.

— Détrompez-vous, intervint un homme debout qui

ressemblait au comte Tolstoï. C'était une affaire sérieuse. Pas futile du tout.

– L'argent, devina Conway. L'argent.

– Voronine n'était pas intéressé. Mais que d'autres fassent fructifier ses idées et se vautrent dans le luxe, ça le choquait.

Conway accepta une tasse de thé.

– Cet ami était donc... comment dire... un industriel?

– Scott Dale, monsieur. Le fondateur de Grapefruit, les ordinateurs Grapefruit.

– Ces machines nous font perdre notre âme, prononça sentencieusement Conway. Vous verrez, elles finiront par nous remplacer. Donc, d'après vous, ce Scott Dale aurait en quelque sorte emprunté certaines idées à M. Voronine?

– Vous voulez dire qu'il lui a tout volé! Sergueï Vassiliévitch a toujours affirmé qu'il était le véritable inventeur du premier modèle Grapefruit. Celui qu'on a appelé le Pomelo One.

– Mais il ne pouvait pas le prouver, naturellement.

Le vieil homme haussa les épaules en fourrageant dans sa longue barbe gris et blanc.

– Quand il avait bu, se souvint-il, Voronine prétendait qu'un jour il raconterait tout et que ça ferait du bruit. Mais, le reste du temps, il considérait Scott Dale comme son propre fils. Un fils ingrat, peut-être, mais... Enfin, ça, c'était il y a quelques années. Après, il y a eu le petit Brian qui a pris la place. Sergueï parlait moins souvent de Scott Dale. C'est pour ça que nous avons été tellement étonnés l'autre jour de le voir aussi remonté contre lui.

Albert Conway se força à terminer sa tasse de thé avant de partir. Il continua la conversation, sur des sujets divers, pendant quelques minutes, tout en réfléchissant à autre chose. Quand il quitta l'ancienne salle de danse, son opinion était faite.

Scott Dale, le célèbre Scott Dale! Il sentait battre une

grosse veine dans sa gorge, comme à chaque fois qu'il voyait poindre un gros poisson à l'horizon. Scott Dale, le richissime petit génie de la Silicon Valley, assassinant son ancien maître pour l'empêcher de révéler la triste vérité : Dale n'était qu'un plagiaire, un profiteur. Conway se réjouissait déjà à la perspective de l'épingler. Il détestait cette pouponnière de milliardaires californiens, il ne supportait pas qu'on puisse amasser une fortune sans vraiment se fatiguer, en trois ans de temps. Il s'était toujours douté que des réussites aussi foudroyantes dissimulaient fatalement de sinistres réalités.

Parvenu dans la rue, il se demanda si les faits pouvaient être d'une telle banalité, d'une telle simplicité. Conway se flattait d'avoir du flair. La grosse veine de son cou aurait-elle battu si fort pour ce qui s'apparentait finalement à un crime crapuleux ? Il repensa au rapport transmis par la police locale. Ça collait. Ça semblait même coller parfaitement. Les flics du coin avaient en effet été frappés par une chose : aucun vol matériel n'avait été commis mais tous les ordinateurs de Voronine, eux, avaient été visités. L'assassin ne recherchait pas des biens mais des informations. Dale avait voulu éliminer des traces compromettantes, les preuves sans doute de sa dette envers Voronine.

Restait Brian. C'était le point le plus inquiétant. Sa mère prétendait ignorer où il se trouvait. Peut-être après tout disait-elle la vérité. Brian devait savoir ce que Dale ne voulait pas qu'on sache. Scott et Brian avaient le même père spirituel. Conway avait appris au cours de sa carrière qu'un homme qui a tué son père peut tuer son frère. Brian était peut-être déjà mort.

Mais Conway ne le croyait pas. En revanche, il croyait que s'il parvenait à mettre la main sur Scott Dale, il ne tarderait pas à retrouver le jeune Stein. Il grimaça de dégoût à l'idée du voyage en Californie qui l'attendait. Mais très vite, le sourire lui revint en calculant le montant de la prime proportionnel à l'éloignement qu'il en retirerait.

60

Brian entra, tout ému, dans la grande salle. Il eut l'impression un peu angoissante que les vingt-deux visages le scrutaient. Il y en avait là certainement quelques-uns dont il connaissait le nom et les titres de gloire. C'étaient ses héros, tous les gens qui, à l'image de Scott Dale, l'avaient fait rêver depuis qu'à l'âge de douze ans il avait acheté sa première revue consacrée aux ordinateurs. Oui, celui-là, à gauche, ce devait être Iakimidis, qui donnait autrefois dans les pages de son journal favori des conseils plutôt audacieux aux jeunes adeptes du piratage informatique. Et il y avait aussi Kate Rucker, la seule femme du groupe. Et Smith, qu'on avait surnommé l'Ours de la Vallée, à cause de son fichu caractère. Brian frissonna en reconnaissant John Clyde, dont chacun savait qu'il prendrait place à bord de la prochaine Navette. Ce type-là allait peut-être mourir dans quelques semaines.

Scott le poussa doucement jusqu'à sa chaise. Maintenant, les autres aussi pouvaient le voir. Les vingt-deux personnes les plus importantes du monde (c'était son avis) le regardaient. Faisaient attention à lui. Attendaient qu'il parle. Il sentit sa gorge se nouer. Ses mains moites glissaient devant lui sur le tableau de bord qu'il essayait maladroitement d'agripper.

– Ils voudraient que tu leur racontes ce que tu m'as raconté, souffla Dale près de son oreille.

– Depuis le début?

– Oui. Il faut les convaincre, tu comprends? C'est très important. Si certains d'entre eux doutent encore à la fin de ton histoire, nous ne réussirons pas.

– Oh!

Ils lui souriaient. Brian forma dans sa tête la première phrase... et il se lança.

Chapitre 3

Brian avait obtenu un succès dépassant toutes ses espérances. Ç'avait plutôt mal commencé, pourtant. Il avait eu l'impression de s'embrouiller horriblement dans ses explications. De toute sa vie, il n'avait jamais eu à affronter une épreuve aussi intimidante. Vingt-deux visages l'observaient. Il lui semblait lire sur certains de la moquerie, de l'impatience, de la condescendance. Tout le monde sentait qu'il n'allait pas se montrer à la hauteur. Au bout d'un moment, il avait essayé de ne plus regarder que cette femme, sur la gauche, qui lui souriait d'un air encourageant. Puis, heureusement, il y avait Scott Dale, près de lui, dont la main ferme pressait son épaule dès qu'il commençait à patauger. Finalement, les mots lui étaient venus. Peu à peu, les phrases s'étaient organisées dans sa tête. Évoquant ce jour horrible où des tueurs avaient étranglé, presque sous ses yeux, son cher Voronine, il avait tout oublié. Et tous avaient paru émus en voyant les larmes couler sur ses joues. Brian avait même été surpris par la réaction bouleversée de la belle Kate Rucker. Il n'avait pu s'empêcher de penser : *Merde, j'ai fait pleurer une milliardaire.*

La discussion avait repris entre eux dès la fin de son récit. Plutôt vive, et parfois violente. Brian en déduisit avec un brin de fierté qu'il les avait tous parfaitement convaincus. Il ne s'agissait plus en effet de savoir s'il convenait ou non d'agir mais uniquement de déterminer comment. Comment supprimer une tête d'épingle suspendue dans le ciel, comment détruire un satellite placé à trente-six mille kilomètres au-dessus du territoire américain? Comment une bande de jeunes Californiens pouvait-elle pratiquer la guerre des étoiles dans un coin de jardin?

Ils éliminèrent la fronde, le fusil à lunette et le bazooka. Ils envisagèrent de construire une base de missiles ou de pirater les installations du Pentagone. Ils se demandèrent où en étaient les recherches sur le laser. Un coup de rayon, net, précis comme un scalpel. Plusieurs d'entre eux pensaient que c'était la seule solution envisageable. Mais il y avait peu de chances qu'une telle arme fût opérationnelle avant dix ou vingt ans. Le nommé Smith y tenait. Si nous mettons le paquet, hurlait-il, nous l'aurons tout de suite! Brian écoutait, fasciné, excité. Il y croyait, lui. Il était convaincu que, si ces types-là s'y mettaient, ils y arriveraient. Il les imaginait capables de tout, absolument tout. Oui, personnellement, il aurait voté pour le laser. D'après ce qu'il en savait, c'était le seul moyen de descendre un satellite de façon efficace et discrète. Mais il entendait dans son oreille droite les petits clappements de langue réprobateurs de Scott Dale. Et quand Scott reprit sa place devant le micro, ce fut pour s'exclamer :

– Impossible! Impossible! Bon sang! Arrêtez de déconner!

Brian découvrit la solution, comme ça, tout à coup, ou, plus exactement, il se souvint qu'elle se trouvait dans un recoin de sa mémoire. Il les pria par signes de lui rendre la parole.

– Vous comprenez, dit-il, ne sachant de nouveau pas trop par où commencer, le grand rêve de M. Voronine était de prendre le contrôle d'un satellite soviétique. A vrai dire, je ne sais pas pourquoi il voulait faire ça. Je ne

64

suis pas sûr qu'il avait vraiment un but. C'était une sorte d'obsession. Peut-être qu'il voulait simplement montrer qu'il était plus fort qu'eux.

Brian nota en parcourant des yeux la rangée d'écrans que plusieurs de ses auditeurs manifestaient un certain agacement. Leurs mimiques semblaient dire : oui, oui, on le sait. Mais il était décidé à ne plus se laisser troubler. Il *connaissait* la solution.

– M. Voronine passait son temps à écouter les Cosmos, poursuivit Brian. Surtout ceux qu'il appelait les Cosmos espions. Il prétendait pouvoir les repérer au premier coup d'œil. Enfin, c'était une façon de parler. Ensuite, il essayait de déchiffrer les... euh... algorithmes.

Brian glissa un œil en direction de Scott pour vérifier qu'il avait prononcé le mot juste.

– Il piratait toutes les instructions que recevaient les satellites et, quand il avait réussi à les décrypter, eh bien..., il s'enfermait pendant des heures avec son Vax pour tenter de comprendre les mécanismes. Il voulait savoir à quoi correspondait chaque code, chaque instruction. Si c'était pour mettre en marche un moteur de propulsion, pour donner l'ordre de transmettre des photos, pour déployer une antenne... enfin, vous voyez.

Brian eut l'impression de voir vingt-deux têtes hocher en même temps. Oui, naturellement, ils voyaient très bien. Les doigts de Scott s'étaient enfoncés presque douloureusement dans le gras de son bras. Son protecteur perdait patience lui aussi. Mais, sûr qu'il était de son effet final, Brian ne se sentait pas disposé à se laisser bousculer. Que tous ces personnages pour lui mythiques hier encore fussent suspendus à ses lèvres lui procurait à présent une sorte d'ivresse.

– Il l'a fait, annonça-t-il. Un jour, il l'a fait. J'étais à côté de lui et je peux vous dire que je ne l'ai jamais vu dans un état pareil. J'ai cru qu'il allait se mettre à danser de joie. Et après, il m'a même offert une goutte de vodka pour fêter ça. Ça été la seule fois.

– Il a fait quoi? demanda très doucement la voix de Dale.

Il avait senti le souffle de Scott dans ses cheveux.

– Oh! pris le contrôle d'un satellite, évidemment. Pendant quelques secondes, le temps de faire fonctionner un petit moteur et d'incliner le Cosmos de deux ou trois degrés sur son axe. Je pense que les Russes doivent encore se demander ce qui a bien pu se produire.

Brian vit une certaine déception se peindre sur les traits du type qui se trouvait sur l'écran juste en face de lui. Il fit un petit mouvement de la main pour indiquer que tout cela n'était rien encore.

– Il y a une chose dont M. Voronine a toujours été persuadé, reprit-il, c'est que tous les satellites soviétiques sont autodestructibles. En tout cas, les satellites militaires ou espions. Ah! il faut que je vous dise d'abord ça, parce que vous ne le savez peut-être pas : avant Cosmos 1692, il y a eu Cosmos 1691.

Ils s'esclaffèrent tous et ça lui fit drôle de ne pas entendre le bruit de leurs rires.

– Oui, je sais, c'est évident. Je voulais dire que M. Voronine a commencé par observer pendant plusieurs mois Cosmos 1691. Cosmos 1691 était exactement pareil que Cosmos 1692. Il avait été placé en orbite en même temps que lui. Mais il a duré très peu de temps. Les Russes l'ont fait sauter. C'étaient des satellites jumeaux. Ils avaient les mêmes ... spécifications et la même orbite, la même position. 1691 n'a jamais eu l'occasion d'émettre quoi que ce soit, mais, si on y réfléchit, c'était certainement aussi un satellite tueur. Seulement quelque chose a déc... enfin, n'a pas marché et les Russes ont sans doute été obligés de le détruire.

Brian marqua une pause avant d'assener le coup décisif :

– M. Voronine était à l'écoute quand ça s'est passé. Il a reçu le message de destruction. L'ordre qui commande l'explosion.

Scott se pencha de nouveau vers lui. Cette fois-ci, Brian eut la satisfaction de percevoir dans ses mots le tremblement de l'excitation.

– Quoi? Qu'est-ce que tu veux dire?

– Tu as très bien compris, répondit Brian avec assurance.

Ils s'agitaient tous, là-bas, sur leurs petits écrans.

– M. Voronine avait le code. Le code dont les Russes se sont servis pour activer la bombe autodestructrice embarquée. Et, comme 1691 et 1692 sont apparemment identiques, il estimait probable qu'on puisse se servir du même code pour faire sauter l'autre Cosmos.

– Génial, Brian, génial! s'écria Scott Dale en libérant l'ensemble du système *Vidpa* pour que ses amis puissent recommencer à intervenir. Il faut mettre la main là-dessus. C'est la solution!

Ce fut Smith qui formula le premier la question mais, visiblement, ils avaient été plusieurs à désirer la poser à ce moment-là.

– Pourquoi est-ce que Voronine ne l'a pas fait, alors? Pourquoi n'a-t-il pas bousillé ce foutu Cosmos s'il était persuadé d'en avoir les moyens? Ça ne lui ressemble pas.

Brian haussa les épaules.

– Eh bien..., il ne me l'a jamais avoué franchement, mais je crois que..., enfin, qu'il n'avait pas réussi à déchiffrer celui-là. Il avait le signal, le message, mais c'est tout. Il n'arrivait pas à l'analyser, à le décomposer, il ne pouvait pas le reproduire. Je crois. Il se plaignait toujours de ne pas avoir assez de moyens. Je ne suis pas absolument sûr, vous comprenez. Peut-être qu'en réalité il ne voulait pas, qu'il avait peur de ce qui risquait de se produire si jamais il le décryptait... Non, je ne sais pas.

– Le coup du petit moteur, c'est très bien, dit Scott. Mais là, c'est une autre paire de manches. Le matériel de Voronine n'est pas assez performant, et ses antennes ne sont pas assez puissantes. Il n'aurait sans doute pas pu déclencher l'explosion en renvoyant le signal. Ce n'est pas un problème de décryptage. Il lui aurait fallu un amplificateur de puissance. Ce signal, en plus de son cryptage, doit être porteur de haute énergie pour augmenter la sécurité d'accès.

Et maintenant, toutes les bouches semblaient crier les mêmes mots :

– Et où est-il à présent, cet enregistrement?

Brian soupira.

– Chez lui, dit-il. Quelque part chez lui. Il faudrait que je réfléchisse. Seulement... les Russes ont déjà fouillé la maison. Peut-être qu'ils l'ont récupéré. A mon avis, ils n'ont pas eu le temps. Ils n'ont emporté que ce qui était facilement accessible. Je pense que ce disque-là, M. Voronine l'avait planqué. Il était très méfiant.

– Où? Où ça, Brian? le pressa Scott. Est-ce que tu penses pouvoir t'en souvenir?

– Je vais essayer, Scott, je te le promets.

– Un meuble, une armoire, un coffre-fort?

– Pas un coffre-fort, non.

– Où, Brian, où? Il faut faire vite. Peut-être que nous n'avons qu'un jour ou deux pour agir. Tout ce qui se trouve dans la maison de Voronine peut disparaître d'un moment à l'autre.

– Mais, Scott!

– Quoi?

– Je n'ai jamais dit que je le *savais*.

Scott Dale était exactement comme il se l'était imaginé. Belle gueule, bronzage impeccable, tenue soigneusement négligée, le sourire arrogant et la réplique facile mais vainement dressé sur ses chaussures. Quoi qu'il fasse, Dale ne grandirait jamais. Tous ces sportifs de plage californiens étaient des avortons.

Conway sortit sa bedaine et se présenta de façon à lui tendre son oreille atrophiée. Quand il les écoutait comme ça, les gens avaient tendance à croire qu'il était un peu sourd, et il prenait un plaisir pervers à les entendre parler trop fort.

— C'est un beau bureau que vous avez là, monsieur Dale, dit Conway. Je n'avais jamais vu autant de plantes dans un couloir. C'est une espèce de serre, en somme. Mon beau-père avait une passion pour les orchidées. Le pauvre homme s'est ruiné au jeu. Voyez-vous, c'est ce qui m'a appris la valeur de l'argent. J'ai toujours le gaspillage en horreur.

Il se moucha.

— Donc, vous reconnaissez vous être rendu à Boston par le vol de mardi matin?

— Mais oui, je ne vois pas pourquoi je le nierais.

— Naturellement, il n'y a pas de raison. D'autant que votre nom figure sur la liste des passagers. Et vous êtes rentré...?

— Le soir même.

— Il y a là un détail curieux qui va certainement vous intriguer aussi, monsieur Dale. C'est que je n'ai pas trouvé trace de votre retour. Vous avez bien pris l'avion au moins?

— Le billet a été acheté par un de mes collaborateurs, à l'agence de Boston. Il était à son nom.

— Ah! oui, c'est tout simple.

Conway recula de deux pas, comme s'il venait d'apprendre ce qu'il désirait savoir et s'apprêtait à se retirer.

— Puis-je connaître l'objet précis de votre enquête? lui demanda Scott.

— Bien sûr, c'est tout naturel.

Conway s'était décidé brusquement. Après trente ans de carrière, il s'estimait en mesure de juger rapidement un homme. Ce Scott Dale ne lui inspirait aucune sympathie mais il ne le croyait pas capable de tuer froidement un gamin. Ni un vieillard, probablement.

— Nous recherchons un enfant, dit-il. Brian Stein. C'est une tragédie pour la mère.

Scott leva un sourcil étonné.

— Et alors?

— Qu'alliez-vous faire à Boston, monsieur Dale?

— Mes affaires m'y appelaient.

Conway perçut la brève hésitation dans la voix de Dale, il déchiffra instantanément la petite seconde au cours de laquelle le Californien comprit qu'il était préférable de dire au moins une partie de la vérité. Trente ans de carrière. Et la consécration n'était toujours pas en vue. Encore six mois et il pourrait commencer à cultiver des orchidées.

— J'en ai profité pour aller jusqu'à la maison d'un ami, à cinquante kilomètres de là, un ami qui vient de mourir...

— Assassiné.

— Oui. Je n'ai pas pu assister aux obsèques. Je voulais lui rendre cette petite visite.

— Vous voyez, monsieur Dale, on prétend que les ordinateurs et toutes ces choses vous déshumanisent. Eh bien, finalement, je constate avec plaisir qu'un homme comme vous est resté sentimental. Est-ce que ce sont des cure-dents que je vois là sur votre bureau?

— Non, c'est décoratif. C'est une sculpture.

— Oh! vous voulez dire avec la boule et les anneaux?

— Oui.

— Ça ne se retire pas, en somme, ces petits piquants. A propos, savez-vous si on a retrouvé l'assassin de ce malheureux Russe?

Cette fois, Scott n'eut pas à feindre la stupéfaction.

— Je supposais que vous seriez mieux renseigné que moi.

— Oh! non, moi je ne m'occupe pas d'affaires criminelles. Je suis détective. La recherche des personnes disparues, c'est ma spécialité. Notamment les enfants. Ce sont toujours des cas si douloureux, n'est-ce pas?

Il prit un air embarrassé.

– Je dois vous avouer que, pour le petit Stein, j'avance un peu à l'aveuglette. Aucune piste bien sérieuse. A part cette histoire affreuse, ce vieux Russe qu'on a étranglé. Vous êtes un homme célèbre, monsieur Dale. Les gens du quartier vous ont reconnu. Il se trouve que vous avez été vu Orchard Alley justement le jour où le jeune Brian a disparu. Et comme vous étiez lié avec le défunt, j'ai pensé qu'il était normal de venir vous demander votre avis. On m'a dit là-bas que le vieux Voronine n'avait que deux amis : vous et Brian. Vous connaissez bien cette famille Stein?

– Mais non, pas du tout.

– La mère est désespérée. C'est curieux, ça. Cet homme n'avait que deux amis et ils ne se connaissaient pas?

– Je ne voyais plus Voronine depuis des années.

– Ah? Une brouille?

– Non, la vie, les distances. L'Amérique à traverser.

Conway fit une grimace compatissante.

– C'est terrible, dit-il. Je n'ai pas vu mon neveu Fletcher depuis que ma sœur a divorcé. Je ne saurais même plus dire l'âge qu'il a.

Conway décida d'engendrer une autre de ces secondes où tout se joue.

– Cette pauvre Mme Stein n'a pas beaucoup d'argent, dit-il, mais comment refuser d'aider une mère éplorée? Elle aurait donné tout ce qu'elle avait pour que je me charge de retrouver son fils. Je n'ai demandé qu'un acompte de cinq cents dollars, est-ce que vous ne jugez pas cela raisonnable? Rien qu'avec ce voyage jusqu'ici, j'en suis déjà de ma poche.

Tout en parlant, Conway n'avait pas cessé de guetter les réactions de Scott Dale. Et il avait vu ce qu'il désirait voir. Le petit Californien avait tout avoué en trois expressions, trois mimiques, trois comportements. Surprise face à une information inattendue. Soulagement de constater que l'enquêteur est obligé de recourir à un gros mensonge. Inquiétude parce qu'on ne ment ainsi que face à quelqu'un qu'on suspecte. Puis Dale recouvra la maîtrise de ses nerfs, estimant sans doute que Conway avait lancé sa sonde à tout hasard, qu'il ne savait donc probablement rien et qu'il était indispensable de lui opposer la plus parfaite sérénité.

Albert Conway en avait appris suffisamment pour l'instant. L'enfant était en sécurité. Visiblement, Dale savait que la mère ne le faisait pas rechercher. Où se trouvait-il? Ici même? Peut-être... En un endroit en tout cas que Dale connaissait et en compagnie de quelqu'un en qui Mme Stein avait confiance.

Tout tournait autour de l'affaire Voronine. Conway en était plus que jamais convaincu. Mais il avait du mal à imaginer une quelconque complicité entre Scott Dale et la famille Stein. Un arrangement, tout au plus. Quelque chose à quoi Mme Stein s'était résignée. Conway imagina que Dale avait tué Voronine, que Brian était au courant et que le richissime Californien avait acheté son silence. Des promesses mirobolantes. Le former, en faire son successeur. Plausible. On disait ce petit Brian très doué en informatique.

– Qu'aviez-vous l'intention de faire chez Voronine? demanda-t-il soudain.

– Mais... rien. Je ne suis pas entré.

– Je sais... je sais. Mais on ne se déplace pas comme ça sans raison, pour admirer une façade. Je me disais que peut-être vous aviez eu dans l'idée de récupérer quelque chose qui vous appartenait. Avant la vente.

– Quelle vente?

– D'après les gens avec qui j'ai parlé là-bas, le pauvre vieux Voronine est mort sans héritier. Il paraît qu'on n'a rien retrouvé dans ses papiers... dans le genre testament, vous voyez? C'est drôle, il aurait pu laisser un souvenir au gamin.

– Ce qui signifie?

Le regard de Dale était devenu fixe. Il contemplait par la verrière l'antenne qui brillait au sommet d'une butte, dans la brume que le grand soleil du matin commençait à nettoyer.

– C'est habituel, dit Conway. Quand un homme meurt sans héritier, ses biens sont dispersés aux enchères. Je me demande qui va racheter ce fourbi. Vous, peut-être?

– Moi?

– Les ordinateurs, les antennes, ça vous connaît. Le vieux bonhomme en avait toute une collection. Il est vrai que ça ne doit pas vous manquer non plus.

– Cette vente... quand aura-t-elle lieu?

Conway rit de bonne humeur, comme s'il découvrait brusquement les vertus roboratives d'un matin ensoleillé de Californie.

– Ah? vous voyez que ça vous intéresse. Eh bien... je l'ignore. Dans quelques semaines, sans doute. Je suppose qu'il y a une bonne salle des ventes à Boston. Sauf les antennes, évidemment. Elles seront vendues sur place.

– Et le reste va être déplacé?

Dale ne parvenait pas à parler d'un ton détaché.

– Oui, naturellement. C'était une maison de location. Eh bien, on dirait que ça vous ennuie.

– Non, non... Enfin, c'est un peu triste. Je me demandais où tout cela allait passer.

– Dans un premier temps, ça ira dans un garde-meuble. Ensuite... Vous êtes un homme riche, monsieur Dale. Rien ne vous empêchera de participer aux enchères.

– Oh, je ne suis pas fétichiste. Penser à cela me faisait une drôle d'impression, c'est tout. Cette maison vide... Pauvre Voronine.

– C'est la vie, monsieur Dale, dit Conway. On est obligé de déménager tôt ou tard. Est-ce que ça vous ennuierait de me raccompagner? J'ai bien peur d'être incapable de retrouver mon chemin.

Albert Conway rejoignit San Francisco par Redwood City. Il téléphona d'un bar pour demander à James & Irroy, de Boston, d'avancer la date du déménagement. Il leur dit que le propriétaire du défunt Voronine voulait vider la maison au plus. tôt. Puis il commanda une seconde liqueur de cacao.

*
* *

– Qu'est-ce que t'en penses, Big Jim?

Tod Panchine lécha ses doigts enduits de mayonnaise en continuant d'interroger avec insistance Big Jim du regard. Les gros yeux brillants clignèrent.

– Hein, qu'est-ce que t'en penses? Y a du blé à se faire avec ce truc-là, tu crois pas?

Depuis qu'il était tout petit, Tod avait toujours su tirer parti de chaque situation. Il avait un sens inné du marché. A l'école, autrefois, il vendait des cassettes qu'il enregistrait lui-même. Un disque des Doors ou de Jefferson Airplane copié vingt fois finissait par rapporter gros. Au lieu de dilapider ses gains, Tod avait systématiquement réinvesti. D'abord dans un appareil à cassettes de meilleure qualité, pour proposer une marchandise plus professionnelle, et plus tard dans un magnétoscope.

Mais c'était l'achat de l'antenne parabolique et des ordinateurs qui avait vraiment changé sa vie. Petit à petit, ce qui avait été un passe-temps lucratif était devenu un métier accaparant.

Tod Panchine avait loué une maison sur les hauteurs, d'où l'on dominait à perte de vue des prés et des troupeaux de vaches, et il était devenu pirate. Pendant deux ou trois ans, il s'était attaqué presque exclusivement aux images de télévision transitant par satellite. Il copiait des films, de préférence destinés à des réseaux payants, puis vendait ses enregistrements. Grâce à lui, presque toute la population de Casper, Wyoming, possédait une

74

cassette vidéo d'*Autant en emporte le vent*. Quand certaines chaînes avaient commencé à passer régulièrement du porno, son commerce était devenu rapidement florissant. Les soirées étaient longues dans cette région où l'on compte un homme pour trois têtes de bétail. Mais ça n'avait rien fait pour améliorer la réputation, guère fameuse depuis belle lurette, de Tod Panchine.

Hélas, le marché local était désastreusement étroit. Quarante mille habitants à Casper. Vingt-cinq mille à Laramie. Cinquante mille à Cheyenne, la capitale. Autrement, c'était des milliers et des milliers de kilomètres carrés de pâturages, de parcs nationaux et de montagnes. En dehors de cela, Tod devait avouer que c'était un merveilleux endroit pour épier le ciel.

Mais il avait de plus grandes ambitions. Pour qui sait l'écouter, le ciel est d'une richesse infinie. Même s'il faut parfois payer pour les recevoir, les émissions de télé appartiennent à tout le monde. En revanche, circulent là-haut d'innombrables informations dont chacune peut se révéler inestimable. Les nuits du Wyoming étaient terriblement bavardes.

Auprès de Big Jim, parmi les monticules de papiers gras, de boîtes vides de Coca et de bière, parmi les hectomètres de câbles et la rumeur ininterrompue des machines, Tod Panchine écoutait sans relâche. Il enregistrait tout, notait tout. Ensuite, il faisait le tri, essayant de deviner ce qui était utilisable, négociable. Tod vivait à l'écart, perché sur sa colline, mais entretenait des relations quasi permanentes avec une quinzaine de cinglés qui lui ressemblaient, une quinzaine de types dispersés sur tout le territoire américain. Ils s'étaient eux-mêmes baptisés les « PI-RATS ». Mais on les appelait les « RATS ». Des réseaux comme celui des « RATS », il y en avait des centaines, peut-être même des milliers maintenant qui couraient dans tout le pays. Comme des radio amateurs, comme des cibistes, ils communiquaient entre eux. Seulement, ils avaient, eux, un but bien précis : gagner leur vie. Ils passaient donc leur temps à mettre en commun les informations glanées au cours des nuits précédentes, comme des clochards qui ont fait les poubelles et rassemblent le fruit de leur tournée. Ils procédaient à des échanges, des trocs, chacun ayant sa spécialité. Certains ne vivaient que du trafic des images pornographiques, d'autres travaillaient essentiellement avec la presse à scandale. Certains aimaient le risque et tiraient leurs profits des milieux politiques. Certains étaient à l'affût des tuyaux boursiers. Chacun avait, comme ils disaient, ses *clients*. En l'occurrence, ses sources de prédilection et ses acheteurs potentiels. La plupart des informations juteuses provenaient des conversations téléphoniques et des messageries électroniques. Ils écoutaient Wall Street, les grands journaux, les ambassades, les ministères... Il y avait parmi eux quelques cracks du décodage et plusieurs polyglottes.

Tod n'avait pas connu son grand-père, le moujik émigré, qui avait fondé la branche américaine des Panchine. Mais, en hommage à son ancêtre ou peut-être par un sens précoce de l'opportunisme, il avait tenu à étudier le russe. Tod adorait espionner les communications par satellite des Soviétiques.

— Moi, je te dis que c'est de l'or, mon vieux Jim.

Tod ralluma son joint et essuya ses doigts pleins de cendre sur sa chemise grisâtre. Il ramassa le boîtier électronique posé près de lui sur une pile de revues de cinéma fantastique et se mit à jouer avec les commandes. Big Jim se tourna dans sa direction et leva le bras gauche.

— Alors, à ton avis? Retour à l'envoyeur?

L'idée était excitante. Tod et les « RATS » y recouraient assez fréquemment. Lorsqu'ils détenaient une information brûlante mais ne savaient pas à qui la vendre, ou bien lorsqu'ils estimaient pouvoir tirer ainsi le meilleur profit, ils proposaient à la source de la racheter. Payez, et elle ne sera pas diffusée.

– Hein, Big Jim? Et si on se faisait un petit paquet de roubles?

Les yeux de Big Jim lancèrent des étincelles bleues. La grosse tête carrée pivota sur le torse en forme de fût. Tod souffla sa fumée d'un air dégoûté. Réflexion faite, ça ne l'emballait pas. Ces Russes étaient capables de tout plutôt que de cracher leur fric. Il ne pourrait plus vivre tranquille. Big Jim avança d'un pas et son énorme patte métallique écrasa le cendrier en alu qui traînait par terre.

– Le FBI, c'est pareil. Ça pourrait les intéresser mais après, bonjour les emmerdes. Et au revoir la belle vie. Non, Big Jim, ces gens-là, vaut mieux les éviter. On laisse ça à Phil Gruba. Il aime vivre dangereusement, lui. Hein? Qu'est-ce que tu dis?

Le bras de Big Jim avait fait dégringoler un amas de vieux numéros de *Weird Tales* et de *Strange*.

– La presse?

Tod ouvrit un paquet de chips et y plongea sa main.

– Laisse-moi réfléchir. Non, tu vois, je ne crois pas. Ce serait du gâchis. Pour un canard, c'est mince. Vraiment pas le scoop de l'année. Eux, ce qui les branche, tu comprends, c'est le raid sur Tripoli ou la centrale de Tchernobyl. Si tu peux leur avoir des infos de première main là-dessus, d'accord.

Il engloutit une poignée de chips graisseuses.

– Sers-toi, vieux, sers-toi, dit Tod en envoyant planer une petite soucoupe dorée en direction de la carcasse métallique de Big Jim. Non, à mon avis, il y a un nom important là-dedans. Tu l'avais repéré aussi, hein? Attends, je te relis.

Il défroissa le bout de papier sur lequel il avait griffonné l'essentiel de la communication qu'il avait surprise. Origine : l'ambassade soviétique à Washington. Destinataire : le consulat soviétique à San Francisco.

– Tu te souviens du signalement, Big Jim? Age :

quinze ans. Taille : environ 1,70 m. Corpulence moyenne. Cheveux blond roux. Yeux bleus. Taches de rousseur. Tiens, regarde, ils ont même transmis sa photo. Jamais vu? Moi non plus. Pas terrible, le cliché. Mais, eh! c'est que ça a voyagé. Les petits points que tu vois là, ils ont quand même fait plus de soixante-dix mille kilomètres!

Tod traça le parcours en l'air avec une règle.

– Eh oui, rien que pour traverser les Etats-Unis. Quoi, mon matériel? Il est pas si pourri que ça, mon matériel. Bon, d'accord, les mecs du consulat doivent avoir une meilleure photo que ça.

Il rapprocha la feuille de ses verres de lunettes épais d'un centimètre et demi.

– Brian Stein, lut-il. Eh bien, mon petit Brian, tu n'as pas été sage? Activités antisoviétiques à ton âge? C'est du joli. Qu'est-ce qu'il a bien pu faire, d'après toi, Big Jim?

Tod renversa la tête et vida en pluie dans sa bouche grande ouverte les miettes qui restaient au fond du sac de chips.

– Ça, c'est le mystère, hein? C'est la question à un million de dollars. Qu'est-ce qu'un gamin de quinze ans a bien pu faire pour que le KGB veuille se débarrasser de lui? Un bombage sur une statue de Lénine?

Big Jim crachota et sa grosse carcasse se mit à brinquebaler sur le plancher.

– Non, non, quelque chose de *grave*. On a du mal à y croire, hein, mais il s'agit bel et bien de l'*éliminer dans les plus brefs délais*. Il n'a pourtant pas l'air méchant, ce garçon. Oui, tu as bien raison, ces Russes sont des sauvages.

Tod décapsula une canette de bière avec ses dents et but à longs traits.

– Mais pas nous, dit-il en essuyant la mousse qui couvrait son menton. Toi et moi, Big Jim, on n'est pas des sauvages. Notre devoir est de sauver ce jeune imprudent. Et, si possible, de faire en même temps une bonne

78

affaire. Voilà ce qui serait bien, non? Tirer notre ami Brian des griffes des sanguinaires bolcheviks et se faire un petit magot. Qu'est-ce qui nous manque, Big Jim? Une seconde antenne parabolique avec un superampli? Et pour toi, mon vieux Jim? Hum, tu as des circuits un peu ankylosés. Tu as vu le bordel que tu me mets avec ta patte folle?

Tod termina sa bouteille et en ouvrit une autre.

– Ah! tu te demandes qui va payer. Regarde, c'est écrit là, à la fin du message. Brian Stein a été repéré pour la dernière fois à l'aéroport de Boston alors qu'il s'apprêtait à embarquer à bord d'un vol pour San Francisco *en compagnie de Scott Dale*. Scott Dale, ça ne te dit rien? Eh oui, tout juste. Notre premier ordinateur. Notre Grapefruit chéri. Pomelo One!

Tod en souriait d'aise. Scott Dale. L'empereur de la Silicon Valley. Une des plus grosses fortunes de Californie.

– Pourvu que ça marche, Big Jim. Pourvu qu'il y ait vraiment un lien entre Dale et cette histoire de gamin recherché par les Russes. Ce qui serait bien... oui, tu vois, Big Jim, ce qui serait bien... ce serait qu'il y ait là un filon... ouais, Jim, que Dale paie et qu'en plus il ait encore besoin de moi.

Big Jim semblait réfléchir intensément. En tout cas, un filet de fumée s'échappait du couvercle de sa grosse tête carrée.

Chapitre 4

La première nuit s'était parfaitement bien passée. Pour tout dire, il avait dormi comme une bûche. Mais, tout au long de la journée qui avait suivi, un peu désœuvré, il avait senti monter en lui la tension. Et, au milieu de la seconde nuit, Brian se réveilla en sursaut.

Pourtant, il aurait juré qu'il ne s'était pas endormi. En tout cas, il s'était couché avec la ferme intention de ne pas fermer l'œil tant qu'il n'aurait pas découvert la réponse à la question que Scott lui avait posée.

Où se trouvait l'enregistrement du signal qui avait déclenché l'autodestruction de Cosmos 1691?

Il avait eu l'impression de se concentrer très fort, de réfléchir terriblement, de se torturer les méninges... il avait vu danser devant ses yeux des milliers de disques, des durs, des souples, de petits, d'énormes... et maintenant il ne savait plus faire la part du rêve, il ne savait plus à quel moment exactement il avait cessé de cogiter pour plonger dans un sommeil agité et plein d'images angoissantes.

Il avait pensé au Vax, au disque dur du Vax, aux informations qui avaient transité par là... puis le rayon avait jailli et la fusée avait explosé.

Assis dans le lit, les tempes glacées, le cœur battant. Les décombres en fusion de la Navette finissaient de s'éteindre devant ses yeux écarquillés, et ses oreilles se vidaient lentement du terrifiant vacarme.

Il faisait noir et les rideaux bougeaient.

La fenêtre. La grande porte-fenêtre qui donnait sur le parc était ouverte et cognait au rythme des rafales de vent. Il y avait eu un éclair, il en était sûr. Il écouta en serrant les draps sur sa poitrine. Pas d'orage. Il sortit les pieds de sous les couvertures et les posa par terre, dominant sa terreur. Un éclair. L'explosion. Là-bas.

Là-bas, dans le parc. Il vit la lueur s'éloigner. On avait ouvert la porte-fenêtre et braqué une torche dans sa direction. C'était ça qui l'avait réveillé. Il inspira à fond pour essayer de se calmer.

Ils l'avaient retrouvé. Ils allaient le tuer.

Il n'apercevait plus rien, à présent. Les grandes antennes brillaient de reflets maléfiques sous la lune. Le plancher craquait.

Il eut l'impression qu'ils étaient entrés dans sa chambre. Ses mains étreignaient la poignée de la fenêtre. Il la tourna. Il n'osait plus regarder dans la vitre, il n'osait plus regarder derrière lui. Ils étaient là, sous son lit, dans le placard, dans le cabinet de toilette..., quelque part. Si seulement il pouvait se souvenir où était le commutateur.

– Scott!

Il n'était pas certain d'avoir entendu le son de sa propre voix. Il crut voir réapparaître le rayon lumineux entre les arbres, sur la butte.

– Scott!

Il frissonna. Son pyjama trempé de sueur séchait sur lui. Lentement, il se détacha de la fenêtre. Il n'y voyait plus rien. Ses pieds s'empêtrèrent dans les draps répandus par terre. Puis il courut vers la porte de sa chambre et se précipita dans le couloir.

Fay la lui avait montrée tout à l'heure, elle lui avait dit : c'est là que nous dormons, si tu as besoin de quelque chose, tu n'as qu'à frapper. Mais n'oublie pas de frapper avant d'entrer, hein?

– Fay?

Un murmure honteux. Il ne pouvait se résoudre à crier. Il était convaincu que sa terreur était parfaitement justifiée mais voulait lutter jusqu'au bout pour ne pas se ridiculiser. Bon sang, quelle porte était-ce?

A tâtons, il trouva un bouton ovale, le tourna et se heurta à une falaise indistincte. Quelque chose lui dégringola sur la tête, un seau de plastique. Un réduit, un placard profond de deux mètres. Il essaya la porte suivante et découvrit un lavabo. Il avait encore oublié de frapper.

– Fay?

Puis il en ouvrit une, encore, qu'il referma promptement. Une odeur terrible lui rappelant le formol avait assailli ses narines.

– Fay? Scott?

Bon sang! Où étaient-ils, tous? Il y avait trop de portes dans cette maison, trop de pièces, trop de couloirs.

Les draps refroidissaient. Fay détestait ce moment où l'empreinte du corps de Scott commençait à s'effacer. Faute de le garder, lui, auprès d'elle, elle aurait voulu au moins emprisonner cette chaleur, cette odeur.

Cela avait toujours été ainsi, mais elle le supportait de moins en moins. Scott ne semblait pas pouvoir demeurer plus de deux ou trois heures en place, même dans son lit. Mais, depuis le début de l'affaire Voronine, les choses s'étaient aggravées. Fay devait pratiquement lui demander un rendez-vous pour l'apercevoir.

Il lui arrivait de douter de son pouvoir de séduction. Elle supportait mal que Scott passe moins de temps en sa compagnie qu'à conférer avec la belle Kate Rucker. Pourtant, il lui suffisait de croiser le regard d'un homme, de Philips ou de Dogson, par exemple, pour se sentir rassurée. D'ailleurs, quand elle parvenait à attirer Scott sous les couvertures de leur grand lit, ses inquiétudes se dissipaient rapidement. L'ardeur de leurs ébats ne rendait leur rareté que plus frustrante. Fay en vibrait encore. Ce feu-là continuait de brûler en elle alors que toute tiédeur avait disparu de la place où Scott avait daigné somnoler pendant une demi-heure.

Fay se retourna, allongeant son corps nu sur le drap frais et enfouissant sa tête dans l'oreiller qu'avait déserté son amant. Tout à l'heure, il s'était glissé là, il lui avait fait l'amour, l'avait serrée entre ses bras, avait feint de s'endormir, de vouloir passer avec elle le reste de la nuit, puis soudain il s'était redressé et avait quitté le lit. Fay l'avait regardé passer en hâte son vieux jean et son tee-shirt frappé du pamplemousse à pattes qui servait de mascotte à Futureland. Et il était parti, comme s'il redoutait l'irruption d'un mari trompé.

Des bruits dans le couloir la tirèrent de l'assoupissement où elle avait fini par sombrer. Elle dressa l'oreille et crut entendre qu'on prononçait son nom. Fay s'assit sur le bord du lit, cherchant dans l'obscurité les mules et le kimono qui traînaient sur le sol.

Brian perçut un bruit derrière lui au moment où il comprenait enfin qu'il avait dû se tromper de sens. Il revint prudemment sur ses pas en longeant le mur.

– Brian?

Fay était adossée au chambranle, sur le seuil de sa chambre, et le regardait approcher en se frottant les yeux.

– Qu'est-ce qui se passe? C'est toi qui fais tout ce boucan?

– Il y avait quelqu'un. Je te jure qu'il y avait quelqu'un.

– Où ça, quelqu'un?

La silhouette de Fay se découpait dans la lumière qui venait de la chambre, enveloppée dans un kimono de soie bleue. Les cheveux en bataille, le visage encore engourdi de sommeil, elle présentait un tout autre aspect que plus tôt dans la journée. Brian comprenait de mieux en mieux ce qui pouvait séduire Scott. Il en oubliait ses angoisses.

— Je ne sais pas, avoua-t-il.

— Tu as rêvé.

— Non, je suis sûr que non. La porte-fenêtre de la chambre était ouverte et...

— C'est moi qui l'ai fermée tout à l'heure, dit Fay.

— Justement.

— Et quoi?

— Je crois qu'ils ont braqué une torche sur moi. C'est la lumière qui m'a réveillé. Je les ai vus s'enfuir dans le parc.

Fay fronça les sourcils.

— Vraiment? Combien étaient-ils?

Brian haussa les épaules.

— Sans doute plusieurs.

— Je croyais que tu les avais vus.

— J'ai vu le rayon lumineux de la torche, là-bas, au milieu des arbres.

Fay se baissa en soupirant pour enfiler ses mules et Brian aperçut un sein par l'entrebâillement du kimono, un sein pointu, un cône très pâle.

— Il faut aller voir Scott, dit Fay d'un ton résigné.

— Quelle heure est-il?

— 2 heures du matin. Il doit être encore dans son bureau. Il m'a demandé de le prévenir si je remarquais quoi que ce soit de suspect.

Elle sourit et poussa doucement Brian devant elle dans la bonne direction.

— Je suppose que des types qui entrent dans ta chambre avec une torche électrique, ça peut être considéré comme suspect, non?

— Tu ne me crois pas, n'est-ce pas?

A chaque pas, les pans du kimono s'écartaient sur

une jambe mince et dure. Brian se demanda si elle était entièrement nue sous la soie bleue.

– Scott va être furieux, dit-elle.

– Pourquoi? Après moi?

– Mais non, pas après toi. Après moi. Une chose comme ça n'aurait jamais dû se produire. Je devais veiller à ce que ça n'arrive pas. Et, au lieu de ça, je me suis endormie. On n'est pas censé dormir, dans cette maison, tu ne le savais pas?

– Oh! Je... je suis désolé.

– Je préférerais t'entendre dire que tu as rêvé.

Une idée incroyable frappa soudain Brian.

– Non, mais... tu as peur de lui?

Elle lui flanqua une bourrade et il alla heurter le mur de l'épaule.

– C'est ce qu'on va voir.

Le plafonnier était allumé. Scott téléphonait, une fesse appuyée sur le coin de son bureau de marbre rose. Brian eut envie de saisir la main de Fay avant d'entrer, mais il résista à l'impulsion. Il avait soudain envie de lui dire qu'il la trouvait encore plus belle à 2 heures du matin qu'à 6 heures du soir.

Le moment semblait plutôt mal choisi. Scott était apparemment engagé dans une conversation serrée. Il indiqua d'un petit mouvement de tête qu'il avait noté l'apparition de Fay et Brian mais ne cessa pas de parler. Puis il se redressa et se tourna vers eux en les interrogeant d'un geste du bras. Fay lui répondit par des signes incompréhensibles.

– Qu'est-ce qu'il y a? demanda-t-il en plaçant sa main sur le micro du téléphone.

– M. Stein vient d'échapper par miracle au KGB, dit Fay.

Et Brian se mit à la détester. Scott, lui, n'eut pas l'air d'envisager une seule seconde que ce puisse être une plaisanterie. Aussitôt, il pria son correspondant de l'excuser et de rappeler dans une demi-heure.

Brian raconta une seconde fois dans quelles circonstances il s'était réveillé et ce qu'il croyait avoir distingué dans le parc. Il parla d'une voix un peu molle et désabusée, persuadé que ses craintes n'allaient susciter que moqueries de la part de Scott. Mais ce dernier se contenta de hocher la tête en frottant son menton bleui par la barbe.

– Scott? l'interrogea Fay, surprise de sa réaction soucieuse.

– C'est allé plus vite que je ne pensais. Mais je m'y attendais.

– Quoi? Tu crois vraiment...

– Je ne crois rien.

Il pointa un doigt accusateur sur le téléphone.

– Les informations circulent vite, dit-il.

– Qui était-ce?

Scott parut soudain très fatigué.

– Venez. Venez, tous les deux. Asseyez-vous. Il faut que je vous parle. Tu veux boire quelque chose?

Il apporta du Coca pour Brian et ouvrit pour Fay et lui une vieille bouteille de chardonnay de chez Hanzell.

– Sur le coup, je me suis demandé si ce n'était pas une astuce de ce flic, de ce Conway qui se fait passer pour un détective. Conway. Je n'ai pas reconnu sa voix mais il aurait pu faire téléphoner par un comparse. Mais, finalement, je suppose que ce n'est pas ça. Ce type doit dire la vérité.

– Et que dit-il? s'enquit Fay.

– Je ne sais pas encore.

Fay trempa ses lèvres dans le vin doré.

– Je préfère le Heitz, dit-elle. Je vois... Un maître chanteur?

– La suite nous l'apprendra. Quelque chose dans ce genre-là.

– Hé! merde! s'écria Brian. Vous n'expliquez jamais rien aux gens qui boivent du Coca?

– C'est un mec qui a appelé pour me vendre des informations, dit Scott. Mais il ne me les donnera pas tant que je n'aurai pas payé.

– Combien? demanda Fay.

– Cher. Dix mille. Et il m'en promet d'autres pour plus tard.

Brian faisait mousser son Coca en imprimant au verre un mouvement circulaire.

– Pourquoi paierais-tu? s'étonna-t-il. Qu'est-ce qui prouve qu'il a quelque chose d'intéressant à te vendre?

– Eh bien... il y a ce qu'on nomme des mots d'appel. Il m'en a donné deux. Tu veux savoir? *Brian* et *aéroport*.

– Et alors? dit Fay. Conway aussi avait l'air de s'en douter, d'après toi, non?

– Oui. C'est pour ça que j'ai d'abord pensé que ça venait de lui. Ensuite, comme il a vu que j'hésitais, le type a voulu frapper très fort, pour me décider. J'ai même l'impression qu'il a regretté d'en avoir trop dit.

– A savoir?

– *Péril mortel.*

– Il a dit : péril mortel? s'inquiéta Brian.

Fay lança un regard noir à Scott.

– T'en fais pas, dit Dale. Ça ne se reproduira pas. Nous ne te laisserons plus sans surveillance.

Le grelot du téléphone retentit.

La conversation ne dura que quatre ou cinq minutes. Lorsqu'il eut raccroché, Scott tira Fay à l'écart. Brian, seul sur le canapé avec sa boîte de Coca, les suivit jusqu'à l'autre bout de l'immense pièce d'un regard lourd de reproche.

– Notre ami a intercepté une communication entre l'ambassade et le consulat soviétiques. Mise en alerte de tous les agents soviétiques en poste au consulat de San Francisco. Si son décryptage est bon, il s'agit carrément de supprimer le gamin.

– Oh! Scott!

Dale se gratta l'oreille d'un air ennuyé.

– Il m'a fait confiance, remarqua-t-il. Je lui ai dit que je paierais et il m'a fait confiance. Ce type est une petite crapule. Ils sont je ne sais combien comme ça à vivre en écumant les liaisons satellites.

– Et tu as vraiment l'intention de payer?

– Il avait l'air très sûr de lui. Il est convaincu de pouvoir obtenir d'autres informations en provenance de la même source. Il sait très bien que je paierai pour qu'il continue à me renseigner. En fait, je lui ai demandé de travailler pour moi.

Fay grimaça de dégoût.

– Autrement, qu'est-ce que tu comptes faire? Tu ne vas pas renvoyer ce gamin dans sa chambre avec des tueurs qui rôdent dans le parc?

– Nous prendrons d'autres dispositions demain. Nous mettrons des alarmes électroniques et je ferai garder la maison.

– Et pour ce soir?

Scott jeta un coup d'œil en direction du gamin qui se morfondait sur le canapé, en pyjama, ses pieds nus sur le bord de la table basse.

– Ce soir? Eh bien, tu n'as qu'à le prendre dans la chambre avec toi. Et qu'il réfléchisse à l'enregistrement de Voronine. Il me faut ce signal!

– Dans la chambre? Dans notre lit?

– Mais où tu veux, bon sang, où tu veux!

– Tu plaisantes, Scott Dale? Il avait beau être terri-fié, tout à l'heure, je peux t'assurer qu'il n'a pas oublié de regarder par les échancrures du kimono à chaque fois que l'occasion s'est présentée.

– Il ne va pas te sauter dessus, quand même?

– Mais si!

Scott dévisagea Fay en rougissant, choqué. Elle riait.

– J'espère bien que si, dit-elle. Ce garçon est normal, tu comprends? Ça ne t'intéressait pas, toi, à quinze ans?

– Oh, je ne me souviens pas, peut-être...

– Et maintenant?

– Encore un peu.

– Allez, viens, il est tard.

– D'accord, dit-il, je suis fatigué aussi. Je me mettrai au milieu, comme une épée.

– Une épée, soupira Fay en levant les yeux au ciel.

*
* *

L'écran était grand mais l'image infecte. Des vagues la parcouraient sans cesse, de haut en bas, et la couleur était si délavée qu'on aurait cru par moments un vieux poste en noir et blanc. Il faisait une chaleur à crever. C'était un hôtel pourri, plein de bruits de canalisations, dans une petite ville déglinguée dont il avait déjà oublié le nom.

Conway adorait ça. Il s'était loué une chambre dans ce coin paumé où il avait l'impression de ne plus exister pour personne et maintenant, allongé sur le lit, ses grosses chaussures poussiéreuses sur les couvertures, il vibrait à l'unisson de tous les patriotes du pays.

A moins d'un mois du lancement, pour rien au monde il n'aurait voulu manquer la conférence de presse et les reportages qui la précédaient. Il aimait voir ces filles blondes au menton volontaire et au regard fier qui disaient que, non, elles ne trembleraient pas pour leur mari quand la fusée décollerait. Malgré ce qui s'était passé, malgré l'horrible accident, jamais elles n'avaient douté, jamais elles n'avaient demandé à l'homme de leur vie de renoncer. Et ces enfants! Si beaux, tellement blonds et bien nourris. Ils n'auraient pas peur pour leurs papas et la seule chose, c'est qu'ils auraient bien voulu être à leur place dans la Navette.

Et, toutes les dix minutes, ils vous repassaient ce petit film long de quatre-vingt-dix secondes. Challenger qui grimpe dans le ciel, superbe, puis qui s'incline, puis ce ruban de fumée absurde, insensé, et en bas la tête des gens qui ne comprennent pas... qui refusent de voir ces petits morceaux qui s'éparpillent.

Et, toutes les quinze minutes, le point sur les nouvelles mesures de sécurité : la tragique histoire du joint défaillant, la longue enquête, les deux ans de retard et la promesse que cela ne se reproduira plus. Fini le laxisme, finie la bureaucratie inerte, finies les erreurs en cascade, désormais nos joints seront toujours les meilleurs du monde. Ça faisait très mal. Conway le sentait dans son ventre. L'Amérique avait failli, elle s'était montrée inférieure à sa mission, elle avait laissé courir à la mort plusieurs de ses enfants par *incompétence*, par *faiblesse*, et ça, c'était intolérable. Conway vouait une véritable haine aux joints O-Ring qui s'émiettaient quand il faisait froid. Et, plus encore, il détestait les technocrates qui préféraient tuer sept braves jeunes gens et déshonorer leur pays plutôt que d'écouter l'avis des ingénieurs et de retarder le lancement de quelques jours... plutôt que de perdre une poignée de dollars.

L'image se mit à défiler verticalement sur l'écran. Conway se leva en pestant et alla tripoter les boutons nichés à l'arrière du poste. Il obtint une série de bandes horizontales accompagnée d'un léger ronflement puis une tête toute plate prolongée par un nez long de vingt centimètres. Le son revint d'abord – c'étaient, enfin, les extraits de la conférence de presse –, puis l'image se stabilisa.

Les pontes de la NASA semblaient avoir bien digéré le drame de janvier 86. Conway les trouva souriants et détendus. Sûrs d'eux. Ils expliquèrent courageusement les fautes commises avant de passer la parole aux ingénieurs de chez Thiokol, la boîte qui fabriquait les boosters. Les joints des boosters ne péteraient plus, c'était promis, foi de Thiokol.

Conway regardait ça en se grattant le nombril,

vaguement incrédule. Il aurait pourtant voulu y croire. Le jour où la Navette avait explosé, il s'était senti vieillir de dix ans. Et entendre aujourd'hui, par la bouche de ces astronautes, de ces épouses, de ces enfants, de ces hauts responsables, de ces ingénieurs, le doux refrain de l'Amérique qui se remettait en marche l'enchantait absolument. A quoi ne pouvait-il pas croire, alors? C'était simple, en fait. Il ne pouvait pas admettre que la qualité défectueuse d'un joint O-Ring pût clouer au sol pendant deux ans la première nation spatiale – et la première nation tout court – du monde. Ça ne suffisait pas. Une telle explication était... obscène. Pourtant, tous semblaient s'en contenter. La NASA, la Maison-Blanche, la presse, le public... et les types qui, dans quelques semaines, allaient monter là-dedans et confier leur peau au Nouveau Joint Indestructible Américain.

– La chienne de mon fils a fait des petits, expliqua l'un d'eux, un vieux routier de l'espace galonné et décoré. Il en a gardé un et nous avons décidé de l'appeler *O-Ring*.

Rires. A la télé, même si vous racontez Hiroshima, il faut vous débrouiller pour terminer par un gag. Toujours un rire pour finir. Nos astronautes étaient de bons Américains. Incroyablement calmes. Indestructibles, eux aussi. Il le fallait. Toute la nation comptait sur eux. Après avoir failli devenir une banalité, le lancement de la Navette allait de nouveau être un événement. La fierté des États-Unis était en jeu et aussi son avenir spatial et militaire. Un second échec signifierait l'interruption pour longtemps de l'exploration du système solaire, l'abandon du projet de grand télescope orbital, la fin du rêve des stations spatiales, la mort de l'IDS... L'Amérique serait ravalée au rang de la Chine ou de l'Inde. Il ne resterait plus qu'à prier poliment les Français, ou pourquoi pas les Russes, de bien vouloir placer en orbite un petit satellite de temps en temps.

Tout était donc indestructible. Tout. Du dernier des

boulons jusqu'au commandant de bord. Conway se laissa gagner peu à peu par leur tranquille confiance. Il admira leurs mâchoires, leurs pommettes, leurs yeux. De l'acier. Ces types-là ne pouvaient pas échouer. Deux ans après, Conway restait vaguement convaincu que la présence à bord du vol précédent de deux femmes n'était pas totalement étrangère à l'échec de Challenger.

Puis vint le sixième. Le premier passager payant de la Navette. John Clyde. La plupart des magazines lui avaient consacré une couverture au cours des mois écoulés. On savait que la NASA avait beaucoup hésité avant d'accepter la candidature de ce rampant. A l'origine, le vol du rachat devait être confié à des pros confirmés, à l'exclusion de tout amateur. Mais Clyde avait longtemps travaillé sur l'électronique de bord pour le compte de l'armée de l'air et, surtout, il représentait potentiellement un symbole dont l'exploitation serait d'un rapport inestimable. Issu de la Silicon Valley, membre de ce qu'on appelait le syndicat des milliardaires, il incarnait le jeune entrepreneur triomphant des années quatre-vingt, l'âge d'or de la Californie, l'Amérique qui gagne. C'était une véritable enseigne au néon qu'on mettait en orbite.

Conway se redressa sur son matelas dès que le visage de Clyde apparut sur l'écran. Il ne lui fallut pas deux secondes pour s'en apercevoir : ce type-là avait peur. Rien à voir avec les vétérans de l'espace qui venaient de défiler. Pourtant, Clyde faisait à peu près les mêmes réponses qu'eux. Il proclamait sa foi totale en la capacité des techniciens, certifiait que non, à l'instant critique du décollage, il ne penserait pas au drame du 28 janvier. Il souriait, Clyde, et Judy, sa petite amie qu'il avait fermement l'intention d'épouser à son retour de l'espace, souriait aussi. Mais Clyde crevait de trouille. Conway ne se trompait jamais là-dessus.

Ce n'était pas la première fois qu'il voyait John Clyde à la télé. Il avait été interviewé par tous les grands réseaux. Jamais Conway n'avait détecté cette lueur affolée dans ses yeux, jamais il n'avait remarqué ce tic qui lui remontait le coin de la bouche, jamais il ne l'avait surpris en train de pétrir ainsi entre ses doigts la poche de sa veste. Aujourd'hui, John Clyde jouait fort mal son rôle d'Américain modèle relevant un terrible défi au nom de tout un peuple, son rôle de héros participant bravement à la grande aventure qui effacera le passé et redonnera confiance à la nation blessée.

Pourquoi? Était-ce simplement parce que la date fatidique se rapprochait? Certes, il était plus facile de crâner six mois avant le décollage qu'à quatre semaines de l'heure H.

Albert Conway alla éteindre la télé et descendit à la réception. Il annonça qu'il ne resterait pas pour la nuit. Il se dirigea immédiatement vers sa voiture et commença à rouler.

Où? Vers où fallait-il se diriger? Boston? San Francisco? Cap Canaveral? Ou pourquoi pas Brigham City, là où on construisait les joints O-Ring? Conway percevait l'existence de liens qu'il était en revanche incapable de préciser.

Ce Clyde appartenait à la bande des Californiens de Scott Dale. Quelque chose terrifiait Clyde. Quelque chose qu'il ignorait encore quelque temps auparavant. Un gamin avait disparu de chez sa mère. On allait déménager le contenu d'une maison où vivait un vieux Russe, et Dale s'en inquiétait. Pourquoi avait-on assassiné Voronine? Et qui? Scott Dale? Sans trop savoir d'où venait cette impression, Conway y croyait de moins en moins. Est-ce que Voronine avait fait quelque chose qui terrifiait John Clyde? Voronine était-il mort en emportant dans la tombe le secret des joints O-Ring?

Albert Conway agita ces questions, et pas mal d'autres, pendant des kilomètres et des kilomètres. Mais, au bout de deux heures de route, il ne savait toujours pas vers où il fallait se diriger.

94

Du cinquième et dernier étage du grand bâtiment en forme de nénuphar que certains, à Futureland, surnommaient la tour de contrôle, on découvrait la majeure partie du parc. Mais de là, surtout, on voyait pousser sur leur bunker sableux les antennes géantes qui renseignaient jour et nuit SiliCOM.

Brian dévorait tout ce qui l'entourait de ses yeux rougis par le manque de sommeil. La salle principale du cinquième étage lui rappelait la pièce du premier dans la maison de Voronine, en dix fois plus impressionnante. Il y avait là les ordinateurs les plus perfectionnés du monde, le système de réglage d'antenne le plus fin qu'on pût concevoir, les moyens d'écoute les plus précis et les plus puissants. Pourtant, les trois types qui s'acharnaient sur leurs claviers, face aux innombrables petits écrans, n'arrivaient apparemment à rien. Ils ne parvenaient pas à réitérer l'exploit que Voronine avait accompli tout seul, chez lui, à l'aide d'un matériel incomparablement moins performant. Brian en éprouva une sorte de fierté.

Cosmos 1692 restait inaccessible.

La veille, Scott avait lancé un appel général à tout le réseau. Il s'agissait de correspondants, triés sur le volet, avec lesquels SiliCOM entretenait des relations privilégiées un peu partout dans le monde. C'étaient des fous d'informatique et de décryptage, des gens, pour la plupart très jeunes, qui passaient tous leurs loisirs à essayer de casser les protections de banques de données ou de pirater des communications hertziennes; des gens dont les activités se rapprochaient de celles d'un Tod Panchine mais qui, contrairement à ce dernier, ne voyaient souvent là qu'un jeu et qui, surtout, cherchaient autre chose que le profit : ce qui comptait par-dessus tout, pour eux, c'était précisément le réseau, le sentiment d'appartenir à un vaste mouvement d'idées et de comportements. Scott les aimait bien. Il les avait tous vus un jour ou l'autre, ou bien il leur avait parlé, ou encore il avait échangé avec eux des informations par messageries électroniques. Vingt-cinq de ses collaborateurs à Grapefruit Inc. étaient chargés d'animer en permanence ce vaste réseau. De le faire vivre. Pour Dale, les membres du réseau, c'étaient ses petits gars, et ils lui donnaient l'impression, peut-être illusoire, que SiliCOM reposait sur de vastes assises. C'était aussi une vraie fraternité, une confrérie comme celles d'autrefois. Scott et les siens se sentaient plus proches des compagnons artisans d'un autre âge que des cibistes schizophrènes. Décoder était un art. De certains experts en la matière, Scott disait parfois qu'ils avaient des doigts de fée dans la tête.

L'appel lancé était simple :

Qui a tenté de découvrir des codes de contrôle susceptibles d'altérer le fonctionnement des satellites soviétiques Cosmos?

Qui a réussi?

Nous savons que c'est possible. Quelqu'un l'a déjà fait.

SiliCOM avait reçu quelques réponses le matin même, très peu, trois ou quatre. Un illuminé basé en Alaska prétendait avoir déjà mis un satellite en panne puis l'avoir contraint à rentrer dans l'atmosphère; il indiquait ses recettes. A rayer du fichier, avait songé Scott. Les autres proposaient le fruit de leurs recherches et affirmaient avoir probablement fait sortir une antenne ou détruit des cellules photoélectriques, etc.

Les deux plus grandes antennes de Futureland étaient braquées dans la direction de Cosmos 1692. Depuis le début de l'après-midi, les meilleurs techniciens du parc travaillaient sans relâche, essayant l'une après l'autre les diverses combinaisons, hasardant quelques variantes... mais en vain. Rien ne bougeait.

Près d'eux, Scott Dale grommelait à l'adresse de Brian :

– Tu es sûr? C'est bien ce que tu as dit, hein? Voronine a réussi à en bouger un. Tu ne l'as pas rêvé comme cette nuit, ça, au moins?

Brian ne répondait même plus, haussant les épaules, serrant les dents et confiant ses pensées aux antennes pour qu'elles les emportent le plus loin possible de cette salle surchauffée aux murs trop blancs.

Scott s'en voulait de se montrer injuste avec ce garçon, mais tout allait trop mal pour qu'il ait l'impression de pouvoir faire autrement. Ils n'arrivaient à rien. Pourtant, si Voronine l'avait fait! Et Clyde partait dans un mois à peine. Et tout le monde l'avait vu craquer en direct à la télé. Non, pas tout le monde – il fallait *savoir* pour s'en rendre compte. Et ce flic qui venait mettre son nez dans tout ça. Et... et... Fay. C'était elle la première responsable de sa mauvaise humeur. Il devait se l'avouer. Ses insinuations stupides de la nuit précédente continuaient de l'irriter. Brian n'était encore qu'un gamin. Ou alors, pourquoi se promenait-elle à demi nue devant lui? A quinze ans, moi, je ne m'intéressais qu'à l'électronique.

Il ne s'occupait pas assez de Fay, et cela ne risquait pas de s'arranger dans les semaines à venir. Voilà ce qu'elle avait sans doute voulu lui faire comprendre. Scott passa sa main dans les cheveux indisciplinés de Brian et s'efforça de lui parler d'un ton enjoué.

– Alors, tu as réfléchi? Où est-ce qu'un vieux Russe peut bien cacher ses secrets les plus précieux, à ton avis?

– Tu connaissais M. Voronine aussi bien que moi, répliqua Brian.

– Hum... Mais il avait sûrement changé ses habitudes. A ta place, vois-tu, j'essaierais de visiter par la pensée toute sa maison, de me souvenir de tous les endroits, de tous les recoins, et de me demander à chaque fois : là?

Ou peut-être... ici? Le déclic finira par se produire, j'en suis certain.

— Mais je n'arrête pas! Je n'ai que ça en tête depuis des heures!

— D'accord. Tâchons de raisonner ensemble. Si j'ai bien compris, tu estimes qu'il ne conservait jamais les informations importantes, comme celles qui nous intéressent, sur le disque dur de son Vax. C'est ça?

— Oui, oui... Il enregistrait ça sur des hosties, et après, comme il disait, il nettoyait le Vax. Il avait peur qu'on...

— Quoi? Il faisait quoi? s'écria Scott.

— Il nettoyait le...

— Non, avant. Il enregistrait sur quoi?

— Oh! sur des hosties.

Scott écarquilla les yeux.

— Qu'est-ce que c'est que cette histoire?

— Rien d'extraordinaire. Il appelait ses disquettes comme ça. Il utilisait des trois quarts de pouce.

— Pas possible?

Brian hocha la tête en souriant.

— Il faisait encore des copies sur son vieux Pomelo. Je ne sais pas pourquoi il prenait des trois quarts. Sans doute parce qu'elles étaient toutes petites, plus faciles à cacher, quoi. Dans les trois centimètres de diamètre. Il disait aussi que c'était ses microfilms.

Le technicien qui se trouvait près d'eux lança à Scott un regard désespéré et leva les bras en signe d'abandon.

— Je me moquais souvent de lui, continua Brian. Ça avait un côté vraiment amateur, ces minidisquettes. Et je trouvais sa méthode plutôt imprudente. Si les disquettes se détérioraient, il risquait de tout perdre.

— Et, naturellement, tu ignores où il les rangeait.

— Naturellement, répéta Brian avec un peu d'agacement.

— J'imaginais qu'il te faisait confiance, lâcha Scott avec une pointe de méchanceté.

Brian donna un coup de pied dans une corbeille à papier.

— Et moi, scanda-t-il, je pense qu'il voulait me protéger. Il considérait que moins j'en savais, mieux je me porterais.

— Bon, bon... Et pourquoi appelait-il ça des hosties, à cause de la forme?

— Je suppose.

Scott égrena un chapelet de jurons. Des petites rondelles de trois centimètres, ça pouvait tenir n'importe où. Dans une boîte de jetons, dans un chargeur de diapos, dans un tiroir-caisse, n'importe où. Mais, connaissant Voronine, il savait que le vieux bonhomme avait choisi un endroit chargé de sens.

— Si, dit Brian.

— Si quoi?

— Je crois que j'ai vu la boîte, un jour. Enfin, c'était peut-être celle-là.

— Bon sang! Tu ne pouvais pas le dire plus tôt? Et comment est-elle, cette boîte?

— Je ne trouve pas le nom... C'était un truc cher.

— Est-ce que tu ne veux pas dire plutôt un coffret?

— Bon, si tu préfères. Je l'ai aperçu une fois à côté du Vax. Ça ne m'est pas revenu avant parce que, ce jour-là, je n'ai pas fait le rapport. Je croyais qu'il traînait là par hasard, qu'il l'avait pris au rez-de-chaussée parce qu'il voulait le vendre. Il faisait ça quand il avait besoin d'argent.

— Oui, je suis au courant. Et comment sais-tu que ce n'était pas la raison?

— Eh bien, je l'ai revu, ensuite, sur une étagère. Je suis sûr qu'il ne l'a pas vendu. En fait, les trucs de ce style, il ne les vendait jamais.

Scott fit une grimace dubitative.

— Ça ne prouve rien.

Brian soupira.

– Je ne me souviens de rien d'autre. J'ai l'impression que c'est ça parce qu'après, il est resté de mauvais poil pendant deux heures. Je n'ai pas compris pourquoi, ce jour-là. Mais, à la réflexion, ça doit être parce qu'il était furieux que j'aie vu la boîte.

Scott ne semblait pas convaincu. Il lui fallait bien admettre cependant que, pour l'instant, il ne disposait d'aucune autre piste. Absolument aucune. Le destin de la future Navette et de John Clyde dépendait peut-être du bien-fondé de l'intuition d'un gamin de quinze ans. Son esprit épris de logique renâclait devant une telle hypothèse.

Fay apparut au cinquième étage du bâtiment. Elle apportait des tasses de café sur un plateau. Scott l'informa en quelques phrases de l'échec des tentatives de prise de contrôle du satellite puis il résuma la conversation qu'il venait d'avoir avec Brian.

– Et à quoi ressemble-t-elle, cette boîte? demanda-t-elle.

– Ce coffret, rectifia Scott. Tu saurais le reconnaître, au moins?

– Je crois. Enfin, j'aurais un peu de mal. M. Voronine en avait plusieurs dans le même genre.

– Il faudrait que tu puisses nous le décrire avec précision, insista Scott. Si nous envoyons des gars pour essayer de le récupérer, nous n'avons pas le droit de nous tromper.

Fay lui adressa un regard excédé.

– Tu le bloques, dit-elle. Comment veux-tu qu'il ait l'esprit clair si tu passes ton temps à le traumatiser? C'était un objet d'art, une antiquité?

– Oui, dit Brian, un vieux truc russe.

– En métal, en argent?

– Ouais, quelque chose comme ça.

– Avec des ornements, des pierres précieuses?

– Je ne me souviens plus. Si... Attends. Il me semble qu'il y avait une croix sur le couvercle.

100

– Un coffret rectangulaire avec une croix sur le couvercle? résuma Fay.

– Non. Rond. C'est pour ça que je disais une boîte.

Fay éclata de rire.

– Eh bien, c'est un ciboire, peut-être?

Brian haussa les épaules.

– Pourquoi justement un ciboire? demanda Scott.

– Tu ne comprends pas? Les hosties. Il appelait ça des hosties parce qu'il les rangeait dans un ciboire.

– Oh, d'accord. Mais... je croyais qu'un ciboire c'était plutôt... hum... une sorte de vase, avec un pied, tu vois?

– Pas dans la liturgie orthodoxe, affirma Fay. Les orthodoxes continuent d'employer des boîtes rondes. C'est une vieille tradition.

– Fay possède des tas de diplômes d'histoire de l'art, expliqua Scott avec une admiration moqueuse. L'ennui c'est que, d'après Brian, Voronine en possédait plusieurs. Combien, à ton avis?

– Je ne sais pas... sept ou huit.

Tout le visage de Scott se plissa de désespoir.

– Tous ronds? Tous avec une croix dessus?

– Ronds, oui, il me semble, dit Brian. Mais pour la croix, là, tu m'en demandes trop.

– Ce doit être une collection magnifique, remarqua Fay sur un ton de connaisseur qui consterna Scott.

Elle sourit et ajouta :

– Réfléchissez! Si Voronine a choisi cette cachette, c'est précisément parce qu'il possédait plusieurs ciboires... et c'est aussi pour cette raison qu'il ne les vendait jamais. Il devait avoir l'impression que cela la rendait plus secrète encore.

Scott se mâchonnait sauvagement les joues.

– D'accord, d'accord, dit-il. Mais ça ne nous arrange pas du tout. Tu es sûr de ne te rappeler aucun autre détail, Brian?

Le gamin était tout rouge de concentration.

– Mumm... peut-être... enfin, je crois que ce jour-là, quand je l'ai vu au premier étage... eh bien, Voronine a eu du mal à le refermer... le truc, là, le ciboire.

– Bref, il ferme mal, résuma Scott. Eh bien, je pense qu'avec ces quelques indications nous pouvons essayer de le récupérer. Il ne nous reste plus qu'à prier pour que les saintes hosties du révérend Voronine soient toujours dedans.

Il grommela quelques paroles indistinctes en se frottant le menton du revers de la main et, comme s'il venait de prendre conscience d'un oubli fâcheux, s'exclama :

– Bien joué, Brian! Bien joué!

Il se tourna vers les techniciens :

– Bon, ça va, les gars, arrêtez tout. Rossetti se trouve bien à Boston en ce moment?

On le lui confirma.

– Très bien. Message urgent à transmettre par satellite dans sa boîte aux lettres. Qu'il se débrouille pour découvrir où ont été entreposés les biens de Voronine et qu'il se rende là de toute urgence. Pas tout seul, si possible. Attention, il s'agit d'un vol avec effraction et les flics surveillent peut-être l'endroit! Nous cherchons un ciboire décrit par Brian comme étant en métal argenté, rond, surmonté d'une croix et qui, en principe, ferme mal. Comme il y a sans doute plusieurs objets assez semblables, les ouvrir. Celui que nous voulons absolument, je dis bien absolument, récupérer contient un nombre indéterminé de disquettes trois quarts de pouce. Si plusieurs ciboires renferment des disquettes, prendre le tout. Attention, il est possible qu'elles soient dissimulées sous un double fond ou je ne sais quoi. Voilà, les gars, mettez-moi ça en forme, et transmettez immédiatement.

Quelques minutes plus tard, le message s'inscrivait dans une boîte aux lettres électronique, dans un grand appartement du cœur de Boston.

Le message de Scott Dale à son ami Rossetti fit un détour imprévu. Au passage, il fut pris au piège par le filet que Tod Panchine tendait infatigablement dans le ciel américain.

Tod adorait piller les messageries électroniques. Les membres du club des milliardaires californiens constituaient évidemment pour lui un gibier de choix.

– Alors, mon vieux Jim, toujours à l'écoute? Voilà que nous avons attrapé dans nos mailles un gros poisson. Qu'est-ce que tu en ferais, toi, de ce poisson? Bien sûr, bien sûr, machine sans scrupules... toi, tu irais le porter sans tarder au marché.

Il se composa un air sévère et déclara sombrement :

– Les robots n'ont pas d'âme. Ils ne savent pas faire la différence entre le bien et le mal. Tu n'as pas de cœur, Big Jim. Tiens, la preuve : c'est toujours moi qui roule.

Ses mains maladroites achevaient de torsader l'extrémité du joint. Il plaça l'autre bout entre ses lèvres incolores : un tube de carton bariolé découpé dans un pack de bière.

– L'ennui, dit-il, c'est que nous ne comprenons toujours rien à cette affaire. Enfin, c'est peut-être mieux comme ça. Mais nous avons au moins la confirmation de quelque chose. Le jeune Brian Stein se trouve bien en compagnie de notre ami et bienfaiteur Scott Dale... dont le premier versement ne devrait pas tarder à arriver.

Il relut le message.

– Voronine, Voronine... Ce nom ne m'est pas inconnu. Je suis sûr que, si tu voulais te fatiguer un peu, tu me soufflerais ce que j'ai sur le bout de la langue. Vois-tu, j'ai un principe. Quand je traite avec quelqu'un, qui plus est avec un ami comme Scott Dale, car un homme qui va vous envoyer dix mille dollars est forcément un ami, n'est-ce pas? Eh bien, je ne traite pas en même temps avec ses ennemis. Car cela reviendrait à ça, tu es bien d'accord? Dire aux Russes que ce garçon qu'ils recherchent, ce jeune Brian, se trouve avec Scott Dale, ce serait informer les ennemis de notre ami. D'ailleurs, j'ai un second principe qui est de ne jamais traiter avec une puissance étrangère, notamment celle-là. Trop dangereux. Malheureusement, j'ai un troisième principe, et les mauvaises langues prétendent que c'est à celui-là que j'obéis le plus souvent.

Il recracha sa fumée en un long soupir accablé.

– Et ce troisième principe, c'est de ne jamais rater une affaire quand elle se présente. Affreux dilemme.

Tod se leva pour attraper la cafetière qui mijotait jour et nuit sur une plaque chauffante tapissée par une croûte de vieux marc. Il se servit, le pied posé sur une pile de revues scientifiques. Tod ne faisait jamais plus de trois ou quatre pas de suite.

– Café, Big Jim? Ah! j'admire ta sobriété. Je vais te donner mon sentiment. Moi, je vois dans tout ça une excellente occasion d'obliger un garçon qui nous a parfois rendu service. Oui, oui, nous pensons au même. Michael Black. Lui ne partage pas nos réticences. Il n'est pas communiste, non, nous ne fréquenterions pas un tel personnage, mais il a ses entrées, tout du moins téléphoniques, à l'ambassade soviétique. Il leur vend à l'occasion de petites choses, de modestes denrées technologiques que des imprudents font transiter par satellite, oh, à mon avis, des informations sans conséquence. Michael se croit beaucoup plus important qu'il n'est. Je pense qu'ils doivent le considérer comme un plaisantin, là-bas, à l'ambassade, un rigolo qu'ils entretiennent mollement pour le cas où un jour il leur servirait à quelque chose. Eh bien, nous ne pouvons pas laisser tomber un citoyen américain, n'est-ce pas?

Tod ouvrit un dossier et sortit quelques feuilles de

papier où il avait noté le détail de ses relations passées avec Michael Black.

Il décrocha son téléphone, à peu près assuré de joindre son correspondant. Black, comme la plupart des autres membres de son réseau, et comme lui-même, était un sédentaire intégral.

— Black, annonça-t-il, je vais te faire gagner dix mille dollars. Enfin, neuf mille. Parce que, sur les dix mille, tu m'en fileras mille.

Black était d'accord.

— L'acheteur, ce sera l'ambassade soviétique à Washington. Voilà l'essentiel de l'information à vendre : Brian est avec Scott Dale. Ensuite : les disquettes trois quarts de pouce sont dans le ciboire de Voronine. Attention, les flics surveillent peut-être l'endroit.

Black ne comprenait rien.

— Moi non plus, vieux, moi non plus. Mais je sais que ça vaut cher. Dix mille dollars minimum.

Black ne croyait pas que les Russes puissent payer pour deux phrases de ce charabia ridicule.

— Qu'ils se dépêchent, les amis de Scott Dale sont sur le coup.

Black persistait à penser qu'il n'y avait rien dans ce message. De plus, il ne voyait pas quels mots d'appel utiliser pour appâter les Russes.

— Attends, laisse-moi réfléchir. Scott, Brian et... Voronine. V-O-R-O-N-I-N-E. Vu? Oui, avec ça, ils prendront, parole de Tod Panchine.

Scott, *Brian et Voronine*. Bon. Black allait essayer. Immédiatement.

Chapitre 5

Philip Rossetti aimait le spectacle des digues et de la rade, il aimait la Charles River et le port. Il travaillait depuis quelques mois pour le Museum of Science de Boston, à titre de consultant exceptionnel. Le programme informatique du musée, qui calculait en permanence le montant précis de la population du globe, le fascinait. Il envisageait de relier l'ordinateur à Futureland où l'on montrerait sur un gigantesque planisphère, pays par pays, l'évolution vertigineuse du nombre d'âmes humaines.

Rossetti ne se sentait pas l'étoffe d'un homme d'action, mais le message de Scott Dale était impératif. Il fallait y aller. Il demanda à Frank Wallop de l'accompagner. Frank était une vieille connaissance. Dale l'employait depuis des années au bureau Grapefruit de Boston, et Rossetti s'adressait généralement à lui quand il y avait une corvée à faire. La grande carcasse de Frank Wallop le rassurerait. Ce n'était pas une lumière mais, s'il y avait une serrure à fracturer ou une quelconque astuce à trouver, Rossetti savait pouvoir compter sur lui.

Les deux hommes avaient rendez-vous sur le port. Rossetti quitta le musée à la nuit tombante et marcha jusqu'aux quais. Wallop l'attendait à l'endroit convenu, au volant de son fourgon bleu. Rossetti monta et s'assit sur le siège crevassé, dans une odeur de sueur et de tabac. Wallop souriait, comme toujours, à sa façon un peu niaise. Une cigarette brûlait entre ses gros doigts jaunes et il ne semblait pas sentir la braise contre l'énorme ongle carré de son index. C'étaient des détails comme ça qui réconfortaient Rossetti. Il n'avait pas l'impression de pouvoir craindre quoi que ce soit auprès d'un type qui laissait brûler ses doigts sans s'en soucier.

– Vous savez y aller? demanda Rossetti.

– Oui, oui. Le plus simple est de prendre la John Fitzgerald expressway et de descendre vers Atlantic avenue. Ensuite, c'est près de la sortie sud, à la limite de la ville.

– Ah! vous connaissez l'endroit.

– Je vois à peu près, oui. En principe, on devrait pas avoir de problèmes. C'est pas spécialement surveillé. Peut-être une ou deux rondes par nuit, pour l'ensemble des entrepôts.

Rossetti sentait contre ses pieds la sacoche de Wallop. Sans doute contenait-elle tout ce qu'il fallait pour forcer n'importe quelle porte.

Les biens de Voronine n'étaient arrivés que la veille. En fait, Wallop et Rossetti avaient dû attendre la fin du déménagement pour opérer. Tout se trouvait encore probablement dans des caisses entassées les unes sur les autres. Et, d'ailleurs, il n'y avait pas de raison pour qu'elles ne restent pas empilées ainsi jusqu'au jour de la vente. Peut-être allait-il falloir déclouer des caisses pendant trois heures avant de dénicher ce foutu ciboire. Si seulement ils le découvraient. Et sans être seulement certains que les fameuses disquettes étaient dedans.

– Vous grincez des dents, l'avertit Frank Wallop.

– Excusez-moi.

– Vous en faites pas, monsieur Rossetti, tout se passera bien. Sauf peut-être pour votre joli costume.

Rossetti se mit à rire nerveusement. C'est vrai, c'était

ridicule. Il avait encore sa cravate, sa pochette et ses boutons de manchette. Il avait repris l'habitude de porter tout ça depuis qu'il fréquentait assidûment le musée.

Il se demanda s'il y avait eu beaucoup de choses dans la maison du vieux Voronine; combien de caisses et de cartons cela représentait.

– C'est dans un de ces grands hangars, là? s'inquiéta-t-il.

– Oh, non, monsieur Rossetti. Ça, c'est pour les marchandises en vrac, genre charbon ou coton, vous voyez?

– Tant mieux, j'avais peur de devoir errer là-dedans pendant trois jours.

Wallop engagea son fourgon dans une petite rue sombre bordée de bâtiments en brique rouge noircis par des décennies de fumées corrosives. Il se gara à cheval sur un trottoir étroit.

– De ce côté, annonça-t-il.

Il tenait à la main le petit plan griffonné au crayon qu'il avait pu reconstituer d'après les indications recueillies par Rossetti.

Ils passèrent par une allée sinistre, conduite à droite comme à gauche par un muret haut de trois mètres. Puis ils débouchèrent sur une avenue beaucoup plus large où affleuraient çà et là les vestiges de vieux rails désormais aux trois quarts enterrés sous l'asphalte. Un réverbère solitaire donnait une maigre lumière.

– Normalement, dit Wallop, c'est celle-ci.

Rossetti vit ce qui lui apparut comme une triste maison carrée, dépourvue d'ouvertures. Puis il remarqua les anciennes fenêtres, bouchées par des briques derrière des barreaux noirs, et la porte qui de loin ressemblait à un bloc de rouille et se fondait dans le mur.

– Comment voulez-vous y arriver? demanda-t-il à Frank. Il faut la faire sauter à l'explosif. Il y a au moins cinq millimètres de blindage.

Wallop s'était arrêté à trois pas de la porte qu'il contemplait pensivement.

– Ce n'est jamais qu'une serrure, répondit-il. Ça risque de prendre un peu de temps mais on en viendra sûrement à bout. Je pense avoir ce qu'il faut. Pas la peine de s'attaquer au blindage, vous savez.

Il ouvrit sa sacoche et la retourna au-dessus du sol. Tombèrent des pinces, tournevis, burins et trousseaux de clés. Il faisait maintenant tout à fait nuit.

Rossetti jeta un coup d'œil autour de lui, décidé à faire le guet tandis que Wallop se débrouillait avec la porte du garde-meuble. Le coin était désert. Pour l'instant. Sa grande terreur était de voir surgir les vigiles avec leurs chiens. Rossetti avait une peur horrible de ces bêtes dressées pour tuer.

– Moins de bruit! souffla-t-il alors que Frank Wallop secouait les clés devant son nez, comme s'il pouvait deviner au son laquelle allait marcher.

Avec un mélange d'espoir et d'appréhension, il regarda Frank se courber contre la porte et commencer d'ausculter la serrure. Il trouva son aisance quelque peu suspecte. Après tout, que savait-il de ce type? A le voir, on aurait juré que c'était le trentième casse de sa carrière. Il aurait donné cher pour que tout ça soit terminé, pour être rentré chez lui et boire un bourbon à la santé de ce maudit ciboire. Il songea soudain à John Clyde, à l'amitié qui les liait depuis le collège. Clyde avait toujours été plus aventureux et même, avouons-le, plus courageux que lui. Quand ils faisaient des coups, tous les deux, Clyde passait toujours le premier. Quand ils faisaient décoller de petites fusées à poudre dans les champs, c'était Clyde qui y mettait le feu. Quand ils volaient du matériel dans le labo du collège, c'était Clyde qui entrait et lui, Rossetti, qui montait la garde, comme aujourd'hui. Quand il y avait deux jolies filles à la cafétéria, c'était Clyde qui les abordait et qui, ensuite, ayant fait son choix, présentait la seconde à son copain.

Mais, cette fois, il ne pouvait pas reculer. Il lui revenait à lui de jouer les monte-en-l'air. Heureusement

qu'il avait trouvé un Frank Wallop pour l'assister! Oui...
et c'était Clyde qui... Il préférait ne plus y penser. Songer
que de la réussite ou de l'échec de son expédition de ce
soir pouvait dépendre le destin de son plus vieil ami lui
broyait le cœur mais cela, encore, il parvenait à le
tolérer. Ce qu'il ne pouvait endurer, c'était le souvenir de
ce qu'il avait vu deux ou trois jours plus tôt à la télé. John
Clyde si misérable, si profondément atteint. John qui se
sentait si jeune, si plein de vie, si amoureux, et qui savait
que dans quelques semaines peut-être il serait mort. *Et il
ne pouvait pas refuser de mourir de cette façon-là.*

– Monsieur Rossetti?

– Oui?

Il crut que Wallop allait lui annoncer que c'était
impossible, qu'il renonçait, et une sorte de brume tomba
devant ses yeux.

– Regardez, c'est incroyable.

– Quoi donc, Frank?

Wallop avait posé ses deux mains bien à plat sur
l'épaisse porte blindée. Il poussa doucement, sans forcer,
et la porte s'entrebâilla.

– Vous avez réussi!

Wallop le détrompa d'un mouvement de tête.

– Mais non, monsieur Rossetti. Elle était déjà ouverte. J'ai perdu cinq bonnes minutes à chercher dans mes
clés alors qu'il suffisait de pousser.

– C'est impensable, voyons!

– Je vous jure!

Une lueur de panique s'alluma dans le regard de
Rossetti. Ils n'avaient quand même pas oublié de fermer
cette porte? Wallop riait de bon cœur. La situation
semblait l'amuser. Apparemment, il ne se rendait pas
compte que cette porte aurait dû être verrouillée. Rossetti se demanda si les vigiles étaient à l'intérieur, en
train de vérifier que tout était normal. Mais ils n'avaient
aucune raison de faire une chose pareille. D'ailleurs,
l'obscurité qui régnait là-dedans était totale.

– On y va?

Frank Wallop voyait là une aubaine, rien d'autre. Pourquoi ne pas en profiter en effet?

Ils ramassèrent les instruments qui traînaient par terre et entrèrent. Puis ils refermèrent soigneusement la lourde porte blindée derrière eux, en sorte qu'aucun interstice ne puisse laisser deviner leur présence à l'intérieur. Wallop tenait la torche électrique. Comment s'y retrouver? L'endroit lui parut beaucoup plus vaste qu'il ne s'y était attendu. On ne distinguait rien d'identifiable, à part le piano, sur la gauche. Est-ce que Voronine jouait du piano? Non, il était bien convaincu que non. S'étaient-ils donc trompés?

– Faudrait repérer son coin, dit Wallop.

Pour la première fois, Rossetti fut frappé par le fait que le garde-meuble pouvait contenir les biens de *plusieurs* personnes. Le rayon lumineux de la torche ne montrait que des tas informes, des empilements, des housses. Sur les cartons, sur le bois des meubles, des numéros tracés à la craie signalaient l'identité du vendeur. Philip Rossetti s'éloigna du piano, puisqu'à son avis il n'avait pas appartenu à Voronine.

– Vous ne reconnaissez rien? bougonna près de lui Frank Wallop. Qu'est-ce qu'il avait comme genre d'affaires?

Rossetti souleva une housse et le rayon lumineux de Frank parcourut deux nègres brandissant des flambeaux dorés.

– Pas ce genre-là. De l'art russe. Et des ordinateurs, je suppose. Essayons de dénicher les ordinateurs. Il avait du gros matériel, je crois. Cherchez des écrans... Ça devrait se voir, ça, quand même!

– Tout au fond, décida Wallop.

– Vous croyez?

– Oui. C'est le dernier arrivé. Ils ont dû le mettre au fond. En général, ça se passe comme ça.

Ils se faufilèrent entre les amas et enjambèrent des

dizaines d'objets sans cesser d'ausculter ce qui les entourait. Finalement, Rossetti mit la main sur un câble qui le mena à un clavier puis au corps d'un vieux Grapefruit. Ça y était! Voronine était le vendeur n° 8. Tout ce qui portait ce numéro lui appartenait. Et, apparemment, ça occupait un volume assez considérable.

– Par où commençons-nous? demanda Frank Wallop.

– Je ne sais pas... Essayons de raisonner. Faisons comme s'il y avait une logique dans cet entassement. Mettons par exemple qu'on ait regroupé tout ce qui est ordinateurs, électronique, etc. Donc... attaquons-nous d'abord à l'autre extrémité du tas. Tiens, oui, je crois que le Vax est là. Éclairez pour voir. Oui, c'est bien lui. Bon. Mes déductions ont l'air justes. Il y a des chances pour que les objets d'art aient été placés dans un autre secteur. Continuons l'exploration plus loin.

Wallop le précéda, tenant sa torche braquée sur le sol. Rossetti le laissa prendre quelques pas d'avance pour tenter de deviner ce qui se dissimulait sous les housses et les grandes bâches de plastique.

– Faites attention, lança Frank en se retournant vers lui, il y a des piles de cartons qui tiennent à peine debout!

Il vit rire Frank Wallop, lequel testait l'équilibre d'une sombre tour de bacs emplis de volumes reliés. Soudain, la tour bascula. Wallop étouffa un cri et tendit maladroitement le bras pour l'empêcher de s'effondrer.

Rossetti ne comprit rien à ce qui se produisit ensuite. Il y eut un éclair dans la pénombre puis une déflagration. La torche électrique de Wallop tomba sur le sol, le verre éclata, Wallop chancela, une pluie de livres, de cartons et de bacs de plastique s'abattit sur sa tête et autour de lui, Wallop se redressa en hurlant et deux ombres chinoises s'allongèrent sur un mur nu, face à Rossetti qui ne savait pas d'où elles avaient pu surgir.

– Frank!

Wallop, un genou dans les décombres, sa grande carcasse penchée contre une armoire emmaillotée dans de la toile de jute, avait sorti une arme de la poche de sa veste et il tirait sur les ombres qui fuyaient.

– Frank! Arrêtez!

Wallop arrêta involontairement, s'étalant tout d'un coup par terre, le revolver au bout des doigts. Rossetti se pencha sur lui. Du sang coulait, mais il ne voyait pas si c'était de sa mâchoire, de son cou ou de son épaule.

– Frank? Frank, mon vieux, vous n'allez pas crever là? Frank... Ils vous ont tiré dessus.

Rossetti se raidit. Une sueur glacée dégoulina le long de son échine. Les chiens. Ils aboyaient dehors. Ils allaient lâcher leurs chiens dans la remise.

– Frank! Les chiens! Frank, levez-vous. Frank!

Wallop tenta de se soulever. Mais sa poitrine retomba lourdement sur le ciment froid. Rossetti ramassa le revolver puis empoigna Wallop sous les aisselles. Il traîna la masse inerte sur quelques mètres, interrompit son effort, recommença, cessa. Il se sentait épuisé. Wallop ne bougeait plus.

Il n'y arriverait pas. Il n'y avait plus rien à faire.

Alors, la tête bourdonnante de haine pour ce qu'il était en train de faire, Rossetti chancela jusqu'à la porte entrouverte par où deux ombres, déjà, avaient fui.

Les chiens grondaient, là-bas, dans la clarté d'un réverbère. Un vigile cria au moment où Rossetti se fondait dans une zone de ténèbres. Il rasa des façades, poursuivi par les aboiements furieux. Il avait l'impression d'entendre résonner encore les détonations.

Quand les sirènes de police retentirent, il se mit à courir. L'arme de Wallop cognait contre sa cuisse. Il ne reconnaissait rien. Il lui sembla pénétrer dans un décor fantomatique qui n'appartenait plus à Boston, plus au monde réel. Murs, cheminées, pavés, rails. Tant qu'il entendit les chiens et les sirènes, il courut. Mais il ne savait pas où il allait. Il savait en revanche ceci : chaque pas l'entraînait loin de l'homme qui était tombé pour lui et qu'il venait d'abandonner, chaque pas l'entraînait loin du ciboire et des disquettes auxquels tenait la vie de son ami John Clyde.

* * *

— Si vous voyiez la tête que vous faites, dit Fay. Attendez un peu pour l'enterrement, bon sang!

John Clyde était assis sur le canapé, dans le grand bureau en arrondi de Scott. Judy était installée près de lui et il lui tenait la main. Scott regardait par la baie vitrée. Ça faisait bien deux mois qu'il n'avait pas plu comme ça sur Palo Alto.

— Je suis *déjà* mort, dit Clyde. Est-ce que tu veux essayer d'imaginer l'impression que ça fait?

Dale se sentait partagé entre l'abattement et l'excitation. Il oscillait entre ces deux états depuis l'affaire de Boston. Abattement parce que les chances d'éviter le pire s'amenuisaient. Excitation parce qu'enfin la guerre ouverte était déclarée. Il ne s'agissait plus de déductions ou de suppositions. A présent, l'ennemi avait jeté le masque. Il s'était montré le premier et, selon Scott, il avait commis une erreur.

Scott ne désespérait pas de le terrasser. Mais, pour y parvenir, il fallait lui opposer une résistance farouche, il fallait que tous les membres de SiliCOM forment un bloc indestructible.

Or, Clyde craquait.

Cela le gênait terriblement. Il était cruel de le souligner, d'obliger Clyde à en parler. Il aurait voulu feindre de ne pas s'en être aperçu. Bien sûr, c'était impossible. Si Clyde ne tenait pas le coup, il fallait impérativement qu'il se retire du jeu.

La petite Judy affrontait la situation avec un courage quelque peu pathétique. On sentait qu'elle le puisait tout au fond d'elle-même, qu'elle consacrait toutes ses forces à cela. Pour Clyde, ce devait être plus accablant que réconfortant.

— John a confiance en vous, dit-elle en soutenant le regard de Fay. Il est sûr que vous ferez tout pour... enfin, que vous réussirez.

Scott avala une gorgée brûlante de tequila et prit sa décision. Abruptement, selon ses habitudes.

— John, dit-il, je dois te demander de laisser tomber.

— Comment?

Il avait très bien compris. Peut-être même était-il venu chez Dale pour entendre ça. Ses yeux maintenant s'étaient emplis de fureur outragée. Mais, au passage, Scott avait surpris avec une pointe de dégoût la lueur d'espoir, le soulagement vite réprimé.

— Il faudra l'expliquer. Ça risque d'avoir des conséquences plus que fâcheuses sur tout le vol, dit Fay. Qui sait si cela ne pourrait pas en entraîner l'annulation?

— C'est peut-être ce qui pourrait arriver de mieux, glissa Judy de sa voix douce.

Les mains de Clyde tremblaient sur ses genoux, mais les mots ne semblaient pas réussir à sortir de sa gorge.

— Dis-le! Dis-le, ce que tu as en tête! s'exclama-t-il enfin.

Fay s'approcha de Scott qui contemplait d'un air sérieux le fond de son verre.

— Qu'est-ce que tu as en tête, Scott Dale? demanda-t-elle.

— C'est moi la doublure de John. S'il renonce, ce sera à moi de partir. Le programme ne sera pas modifié. Le cas est prévu. J'ai subi le même entraînement que lui. Je devais prendre place à bord d'un vol ultérieur... Eh bien, ce sera pour celui-ci, voilà tout.

— Tu es fou, dit Fay.

Clyde paraissait statufié sur le canapé.

— Complètement fou, dit-il à son tour.

116

Judy l'enveloppait de ses regards et on aurait dit que Clyde n'écoutait plus que le souffle de la jeune femme, comme pour se régler sur lui.

– John va partir, assura-t-elle. En tout cas, ce ne sera certainement pas toi, Scott. Ce sera John ou bien personne.

– Oui, dit Clyde, ce sera moi.

– Nous présenterons un bulletin médical en béton, proposa impitoyablement Dale. Ne t'en fais pas, ça ne te nuira pas. D'ailleurs, tu as l'air malade. Vraiment.

– Non! hurla Clyde. C'est ce type à la télé... Je ne sais pas ce qu'il avait contre moi... il a fait tout ce qu'il a pu pour me mettre mal à l'aise. Je n'ai pas craqué, Scott. Est-ce que tu as lu quelque chose dans les journaux à ce sujet? Non, hein?

– Il vous fait confiance, répéta Judy comme si elle agitait un moulin à prières. Il sait que vous allez y arriver.

Fay alluma une Camel au mégot de la précédente. Elle cherchait ses arguments.

– Tu feras tout échouer, déclara-t-elle enfin d'une voix très calme.

– Quoi? Pourquoi dis-tu ça? s'insurgea Dale.

– Excuse-moi de te l'apprendre mais, contrairement à ce qu'écrivent tes admirateurs dans leurs journaux miteux, tu n'es pas un surhomme.

Il haussa les épaules, refusant de répondre. Fay connaissait ses faiblesses. Elle savait qu'il aimait bien oublier que ce qu'on lisait dans les magazines était faux. A force de le voir proclamer par la presse, Scott avait fini par croire qu'il pouvait tout faire et être partout à la fois. Industriel, inventeur, promoteur, à la tête de Grapefruit, à la tête de Futureland, à la tête de SiliCOM, pilote, astronaute.

– Et bientôt, dit Fay qui devinait sans peine les pensées de Scott, commandant en chef des forces armées américaines. C'est cela, n'est-ce pas?

Il consentit à rire. Mais il répéta, buté :

— Je n'ai pas le choix. Si John renonce, je partirai. Et, dans sa tête, il a déjà renoncé.

— Non! hurla Clyde. Non! Ce n'est pas vrai!

Fay semblait ne pas prêter attention à lui. Elle se concentrait sur Dale, estimant sans doute que l'opinion de Clyde désormais ne pèserait plus très lourd dans la balance. Judy disait : John! John! mais il était difficile de savoir si c'était pour le calmer ou pour le stimuler.

— Écoute-moi, Scott Dale, prononça Fay d'une voix à demi étranglée par l'énervement. Tu ne peux pas à la fois courir après ce foutu code, ces disquettes, ce ciboire ou je ne sais quoi et préparer le vol. Tu ne peux pas être là en train de diriger l'équipe qui va essayer de détruire Cosmos 1692 et ailleurs en train d'enfiler ton casque et tes gants. Tu ne peux pas monter dans cette fusée en sachant que tu vas crever!

— Fay!

Scott et Judy avaient poussé ensemble le même hurlement. Son nom, comme un cri de fauve. Clyde n'avait pas bougé. Elle crut que Judy allait lui sauter à la gorge.

Il y eut un silence et John le rompit :

— Elle a raison. Si Scott monte dans cette fusée, il y laissera sa peau. Si c'est moi, j'ai une petite chance.

Judy éclata d'un coup, alors que Fay ne s'y attendait plus.

— Et alors John peut bien crever pourvu que M. Scott Dale soit à l'abri, c'est ça?

— Non, dit Fay, ce n'est pas ça.

— Oui, oui, j'ai très bien compris. Scott est plus *utile* que John. L'infanterie au feu et les grands stratèges au quartier général. Il ira, vous m'entendez! Je vous le dis depuis le début. Peut-être qu'il va sauter avec Discovery, mais il ira. Et je ne serai même pas veuve!

— Je t'épouserai avant, promit Clyde sur un ton de sinistre gravité qui épouvanta Fay.

– Non! dit Scott.

Cette fois, ce fut vers lui que Judy tourna son regard brûlant.

– Non, répéta Scott. Pas de mariage. Rien, rien de spécial. Vous avez déjà annoncé que ce serait pour après le vol, et ce sera après.

Judy semblait étouffer.

– Tu ne prétends quand même pas...

– Ce n'est pas un problème... domestique, dit Fay. Il ne faut rien faire qui soit de nature à alarmer. Si vous décidez brusquement d'avancer la date du mariage, on se demandera pourquoi. Il ne faut rien faire qui...

– ... qui puisse sauver la vie des six personnes qui seront dans la Navette? compléta Judy.

Le téléphone sonna. Judy, Fay et John burent en silence tandis que Scott écoutait son correspondant, l'air absent. Cela ne dura qu'un court moment.

– C'était le bureau de Boston, annonça-t-il. Frank Wallop est mort ce matin à l'hôpital.

John Clyde se redressa lentement sur son siège en vidant ses poumons, comme s'il essayait de renflouer sa carcasse en perdition. Puis les autres entendirent qu'il répétait : *Oui, oui, oui...*

– Je vais partir, dit-il.

Personne, cette fois, n'essaya de le contredire. Scott, Fay et Judy le laissèrent parler.

– Ça aurait pu être Rossetti, reprit-il. Après tout, ce type-là, Wallop, il est un peu mort pour moi, pour que cette maudite fusée n'explose pas en vol. Et Rossetti était avec lui.

Il sourit.

– Je le connais bien, Rossetti. C'est un de mes plus vieux copains. Je peux vous dire une chose... c'est qu'il n'est pas courageux. Pour rien au monde il ne serait monté dans la Navette, lui. Même s'il n'y avait pas eu l'accident. Je me souviens... après l'explosion, il m'a téléphoné pour essayer de me dissuader de poser ma candidature. Et moi je croyais que je n'aurais jamais peur, jamais, dans aucune situation.

Il posa son verre sur la table basse, comme s'il venait de prendre la résolution de ne plus avaler une goutte d'alcool de sa vie.

– Et là... depuis quelques jours, j'ai peur, j'ai horriblement peur. Franchement, je ne trouve pas ça anormal.

Il leva les yeux pour affronter le regard de Scott Dale.

– Qu'est-ce que tu en penses? Est-ce que tu trouves ça anormal d'avoir la trouille quand on s'apprête à monter dans un engin qui a une chance sur deux de finir en fumée?

– Non, John, mais...

– Je sais. Ce n'est pas le problème. Le problème, ce n'est pas que j'aie la trouille... c'est que je ne parviens plus à le cacher. Laisse-moi partir, Scott. Je ne te promets pas de ne pas avoir peur mais je tiendrai le coup, ça c'est juré. Regarde Rossetti. Il a tenu le coup. Il l'a fait.

– Il a échoué, rappela crûment Dale.

– Ouais... ouais, il a échoué. Mais il a essayé. Il l'a fait pour moi. Il devait crever de trouille et il y est allé. Et ce type que je ne connaissais même pas est mort. Je dois partir, Scott, je suis obligé.

Dale le lui confirma d'un lent hochement de tête.

Le journal était étalé sur la table et Conway l'examinait d'un œil critique tout en parlant dans le téléphone qu'il tenait coincé entre sa bonne oreille et son épaule.

C'était un nouveau motel, choisi au hasard sur le bord d'une route. Celui-là était propre et confortable mais il n'y avait pas de téléviseur dans la chambre.

Ayant transmis ses recommandations, il raccrocha. En trois ou quatre coups de fil, il avait obtenu ce qu'il désirait. Une surveillance permanente et renforcée pour le dépôt où se trouvaient entreposés les biens de Voronine. Et, ce qui s'était révélé plus difficile, l'avancement de la date prévue de la vente. La dispersion des objets qui avaient peuplé la maison du vieux Russe aurait lieu, comme Conway l'avait demandé, avant la mise à feu de la fusée qui emporterait la prochaine Navette. Il ne savait pas encore exactement pourquoi il fallait qu'il en aille ainsi..., mais il savait qu'il le fallait.

Aujourd'hui, il avait acheté le *Stanford Daily*, qui traînait par terre, et le *Los Angeles Times* dont il ruminait les gros titres depuis une demi-heure. Une fois de plus, la reprise imminente du programme spatial américain faisait la une. Contrairement à ce qu'on aurait pu supposer, l'approche de l'événement ne semblait pas susciter un surcroît de tension ou d'inquiétude. Non, c'était plutôt l'euphorie qui gagnait. Le président, qui sans doute le tenait de source sûre, avait déclaré que les chances de réussite du vol approchaient les 99,99 %. La ferveur montait dans tout le pays. On montrait la photo des héros, on décrivait le détail de leur mission, on évoquait les lancements ultérieurs... on tentait par tous les moyens d'exorciser l'échec de janvier 86.

A qui songez-vous, monsieur le Président? se demanda ironiquement Albert Conway. Qui est d'après vous ce 0,01 % auquel vous faites allusion? Pour moi, il pourrait bien s'appeler John Clyde, qui m'a semblé plus faible que le plus calamiteux des joints *O-Ring*. Comment voulez-vous que cette mission réussisse avec un type pareil à bord?

Clyde. Un ami de Scott Dale. Quelqu'un qui peut-être – sans doute – connaissait le Russe Voronine. On en revenait toujours là. Peu à peu, Conway avait évacué son hypothèse de base : Scott supprimant Voronine pour l'empêcher de révéler que l'inventeur du Grapefruit

121

n'était pas forcément celui qu'on croyait. Trop... romanesque. Et peu adapté à la psychologie des protagonistes telle que Conway se la figurait. Voronine, geignard mais incapable d'exercer un véritable chantage à l'encontre d'un de ses amis. Dale, impulsif et grande gueule mais peu susceptible d'un acte de violence froid et prémédité.

Tout en réfléchissant, Conway tournait d'une main lasse les pages du *Los Angeles Times*. Les questions liées au lancement de la Navette revenaient en pages quatre et cinq. Problèmes technologiques, problèmes humains. Le point sur la compétition internationale. Où les Soviétiques en sont-ils ? Et les Européens ? L'interview d'une institutrice de Caroline du Nord qui se déclarait prête à partir lors d'un prochain vol pour donner aux écoliers américains les cours que Christa Mac Auliffe n'avait pu donner. *Je suis sûre que Christa aurait voulu que quelqu'un fasse ce que ce drame affreux l'a empêchée de faire*, disait-elle. Et toujours, lancinante, réapparaissait au détour des articles la phrase désormais célèbre de Ronald Reagan : *Le futur n'appartient pas aux couards*.

En page huit, à la rubrique des faits divers, était annoncée la mort d'un certain Michael Black. Conway lisait toujours les articles criminels. Conscience professionnelle, si l'on veut, mais surtout intérêt personnel. Il aimait bien savoir comment les gens avaient été assassinés. Il envisageait d'écrire un ouvrage, quand il serait à la retraite, à propos des rapports entre le meurtrier, la victime et l'instrument du crime : il possédait des statistiques fort éclairantes, par État, par sexe, par profession, par race, etc. Qui tuait qui et de quelle manière. Évolution à travers les âges, comparaison entre nations, le sujet était inépuisable. Ce jour-là, en lisant le *Los Angeles Times*, il apprit qu'on trucidait les informaticiens en les étranglant avec du fil électrique rouge.

Il s'était attendu à tout sauf à cela. Une épidémie. L'article était bref et peu détaillé mais il en disait suffisamment pour édifier Conway. Ce type d'une trentaine d'années était connu comme un fou d'ordinateurs, et chacun, dans le voisinage, avait repéré sa maison à cause de la grande antenne parabolique qui la couronnait. Étranglé avec du fil électrique rouge. Comme Voronine.

Le crime avait eu lieu à Santa Barbara. Ça le contraignait à descendre encore un peu plus au sud, vers la partie la plus infecte de la Californie.

Il reprit le volant de la vieille Chrysler vert bouteille. Il lui faudrait au moins trois heures pour arriver là-bas. Pourvu que toute cette affaire ne finisse pas à Las Vegas! Il n'en demandait pas plus.

Santa Barbara le surprit. Conway ne s'était pas imaginé une ville espagnole. Il prit une chambre au *Pacific Crest* avant de se mettre en quête de la maison du regretté Michael Black. Là, il n'apprit pas grand-chose. Le corps était parti pour la morgue. Il allait devoir faire ce qu'il détestait le plus au monde : s'en remettre à l'obligeance des flics du coin.

Ils furent obligeants. Grâce à eux, il put visiter la maison de Black. Ce qui ne le renseigna que modérément. Il ne comprenait rien à tous ces machins, les écrans, les antennes, les claviers, les codes. Il comprit cependant que Black avait été une espèce de petit trafiquant, un marchand d'informations, tantôt maître-chanteur, tantôt complice d'espions communistes. Conway regretta de ne pas avoir été là pour serrer un peu plus fort le fil rouge autour de son cou.

Il fouilla longuement dans les amoncellements de papier qui couvraient plusieurs tables, entre les ordinateurs et les téléphones, mais ne découvrit rien de décisif. Il aurait fallu tout emporter, ça et le contenu des placards, les boîtes en carton qui s'accumulaient par terre, les disques et disquettes et, pourquoi pas, les répondeurs téléphoniques.

Conway se tourna vers l'un des flics qui l'accompa-

123

gnaient docilement et même avec une certaine déférence.

– Est-ce que les assassins ont essayé de fouiller tout ce bordel, à votre avis?

– D'après nos conclusions, monsieur, il est ou ils sont restés très peu de temps.

– Ah! vous avez des conclusions.

– Oui, monsieur.

– C'est bien, c'est bien, je vous félicite. Très peu de temps. Bon, c'est possible. Et... pensez-vous qu'ils aient volé quelque chose?

– Difficile de se prononcer, monsieur. Etant donné tout ce... comme vous dites.

– Ouais, ouais, sacré bordel.

– Excusez-moi, monsieur, puis-je vous demander comment vous savez que les assassins étaient plusieurs?

– Ah... bien... je ne le sais pas. Une intuition, voilà tout.

Deux. Au moins deux. Ici comme chez Voronine. Pour lui, c'était une évidence. Mais quel rapport pouvait-il exister entre ce Michael Black et le vieux Voronine? Black était-il lui aussi un ami de Scott Dale? Plausible.

Voilà ce qu'il fallait qu'il trouve. Un carnet d'adresses, un répertoire. Connaissait-il Voronine, connaissait-il Dale, qui connaissait-il d'autre?

Le même flic lui répondit que non, on n'avait pas trouvé exactement ça, mais qu'il y avait dans la poche du défunt un petit calepin qui pouvait y ressembler. Il fallait retourner au poste.

Le soir, seul dans sa chambre au *Pacific Crest*, Conway put examiner à loisir le petit carnet. Les flics le lui avaient confié pour quelques heures, non sans réticence. Il semblait difficile d'en tirer quelque chose. Des noms, des adresses, il y en avait des centaines. Partout, écrits dans tous les sens, dans toutes les couleurs d'encre... parmi des calculs, des réflexions, des messages, des brouillons de lettres et ce que Conway finit par deviner

124

être d'innombrables tentatives de déchiffrement de codes.

Il était impossible de repérer là-dedans le moindre ordre, la moindre chronologie. Conway se serait pourtant bien contenté d'explorer les parties les plus récentes de ce fouillis. Mais les stylos de Michael Black avaient couru sur le carnet de la façon la plus anarchique.

Soudain, il trouva ce qu'il n'espérait plus... et plus qu'il n'avait jamais espéré. Sur un quart de page délimité par deux coups de feutre vert étaient inscrits les noms : SCOTT – BRIAN – VORONINE. Puis Conway déchiffra dans le même angle la mention : verser 1 000 $ à Tod P.

Tod P. Il ne lui restait plus qu'à recommencer son exploration et à feuilleter le calepin du début à la fin à la recherche de précisions sur ce Tod P. Au bout d'une dizaine de minutes, il repéra sans autre détail son nom complet : Tod Panchine. Un peu plus tard, il tomba sur ce qui semblait être son lieu de résidence.

Le Wyoming. Le pays des chercheurs d'or, des vaches et des parcs nationaux. Un rêve. Conway allait reprendre sa voiture et se diriger vers Cheyenne, la grande capitale. Après tout, avant d'arriver là-bas, il n'aurait jamais que la Californie, le Nevada et l'Utah à traverser. Au rythme où allaient les choses, il allait tripler son salaire.

Chapitre 6

Brian donna un coup de pied dans un coussin.

– Si tu crois que c'est drôle de passer scs journées là! explosa-t-il. Où est Scott? Je n'arrive même plus à le voir.

– Et moi, répondit Fay, tu imagines que je le vois souvent? Il est en réunion, en Vidpa. Tu as ce qu'il faut, ici, non? De l'espace, une piscine, des ordinateurs...

– Tu parles. A chaque fois que je mets le nez dehors, il y a un type qui surgit à côté de moi pour vérifier que personne n'essaie de m'assassiner.

– Tu es sûr de ce que tu as vu l'autre soir, oui ou non? Tu les as rêvées ces torches électriques, ces silhouettes?

– Oui, je suis sûr.

– C'est sérieux, Brian. Voronine a été tué et il y a eu une autre victime à Boston. Nous ne pouvons pas te lâcher d'un centimètre. J'admets que ce doit être pénible mais il n'y a pas d'autre solution.

Brian shoota de nouveau dans son coussin. Il tournait en rond depuis des jours dans cette maison. Il n'avait même pas envie de tester le tout nouveau *Super-Grapefruit* que Scott avait mis à sa disposition, et la fabuleuse imprimante à laser ne l'avait intéressé que pendant une heure ou deux. Sentir perpétuellement une ombre derrière son dos le dégoûtait de tout.

– Même quand je pisse, j'ai l'impression que quelqu'un me regarde, dit-il.

– Tranquillise-toi, répondit Fay en riant. Les toilettes sont blindées. Ton garde du corps peut rester sans risque devant la porte.

– Ça faisait des années que je rêvais de visiter la Silicon Valley. Et maintenant que je suis là...

– Il n'y a rien de mieux à voir dans la région que la maison de Scott Dale, certifia Fay.

– Ouais. Et Futureland?

Fay acquiesça.

– Futureland mérite un détour, j'en conviens. Il y a de gros nounours en peluche qui te plairaient sûrement.

Brian lui balança le coussin à la figure.

– Scott m'a promis dix fois de m'y emmener! cria-t-il. Et le seul jour où nous y avons mis les pieds, je n'ai eu droit qu'à un aller et retour à la salle des ordinateurs. Tu ne crois pas que ça les amuserait aussi, mes gardes du corps, d'aller se promener là-bas?

– Scott est très occupé, répliqua machinalement Fay. Tu sais, ça va plutôt mal. Si tu voyais la tête de Clyde, tu ne te plaindrais peut-être pas si fort. Attends...

Le visage de Fay s'illumina.

– Et si on faisait une fugue, tous les deux? Moi aussi, après tout, j'en ai marre d'être coincée là.

– Une fugue?

– Scott sera furieux, mais... Je pense que j'ai trouvé une idée. Oui, comme ça, pas de problème. Nous allons visiter Futureland *incognito*.

Fay s'approcha du téléphone et griffonna quelques mots sur un bloc.

– Il faut quand même que je le prévienne. *Ne crains rien. Seuls les nounours nous reconnaîtront.* Voilà. En route?

– En route!

Tod Panchine détestait voir arriver des gens chez lui. La maison était isolée et il pouvait se passer parfois quatre ou cinq jours d'affilée sans que quiconque s'en approche. Le fourgon des postes était le rare véhicule à monter assez fréquemment jusque-là. Mais Tod communiquait peu par courrier.

Il n'invitait jamais personne. Une fois par semaine, il descendait en ville pour faire des courses, juste avant la fermeture des magasins. Ensuite, il mangeait dans un snack puis allait ramasser une fille dans une rue voisine, toujours l'une des deux ou trois mêmes.

Il n'y avait aucune visite que Tod aimait recevoir mais il détesta particulièrement voir arriver Albert Conway. C'était écrit sur sa gueule : flic. Un flic de la pire sorte, un de ceux qui ne se donnaient même pas la peine d'avoir l'air d'autre chose. Tellement flics qu'ils se dispensaient de vous préciser qui ils étaient et que vous leur répondiez d'emblée comme s'ils l'avaient fait. Ils inspectaient votre baraque et ils se demandaient ce que vous aviez volé. Ils regardaient votre cendrier et ils se demandaient ce que vous aviez fumé. Ils donnaient un coup de pied dans une motte de terre du jardin et ils se demandaient qui vous aviez enterré.

Deux heures seulement après, Tod aurait été incapable de dire comment ce type s'était introduit chez lui et avait engagé la conversation. Il eut l'impression que la vieille fouine se matérialisait brusquement à deux mètres de sa chaise, lui imposant le supplice de sa présence physique. Dans son capharnaüm privé, il n'y avait pas place pour l'intrusion d'une masse étrangère aussi volumineuse. Il se retrouva coincé sur son siège, ridicule et comme nu, trahi par Big Jim qui ne voulait pas cesser d'agiter ses bras à sa manière désordonnée.

– Vous avez été malade ou vous êtes toujours aussi blafard? lui demandait le flic.

– Toujours, dit Tod.

– Vous avez pourtant le bon air, ici. Vous ne sortez jamais?

– J'évite.

Conway semblait compter les carreaux rouges et verts de sa chemise. A chaque fois que son regard se posait sur quelque chose, il exprimait un profond dégoût.

– Alors, c'est quoi, votre boulot, au fond? s'enquit Conway en désignant d'un geste imprécis ce qui l'entourait, sans dissimuler le peu d'intérêt que lui inspirait sa propre question.

– Je me débrouille.

– C'est légal, ce que vous faites?

Tod n'en croyait pas ses oreilles. Comment un flic pouvait-il demander une chose pareille?

– Faudrait que vous m'expliquiez ça, reprit Conway. Très franchement, je n'y connais rien. Vous devez recevoir toute sorte de télés avec votre grande antenne, là?

– Quelques dizaines.

Conway siffla entre ses dents.

– Je me ferai installer ça quand je serai à la retraite, tiens. Si vous me dites que c'est légal.

– Pourquoi ça ne le serait pas?

– Y a de bons matchs en base-ball?

– Aucune idée.

– Et en films... vous recevez des trucs... vous voyez ce que je veux dire, un peu pornos?

Tod aurait donné cher pour que Big Jim arrête de bouger son bras contre le dossier de la chaise. Ce type le rendait fou. Il savait comment procédaient les flics. Ils posaient tout un tas de questions et on ne savait jamais quelle était celle dont ils attendaient la réponse pour vous coincer.

– Je ne m'intéresse pas à ça, dit-il enfin.

130

– A quoi? Ah oui, aux films pornos. Remarquez, personnellement, je n'y vois rien de mal. Ça rapporte?

– Quoi?

– Le trafic de films pornos.

Tod se prit la tête dans les mains. Il avait envie de gueuler mais il choisit d'éclater de rire.

– Excusez-moi, mais vous datez un peu. Vous voulez peut-être aussi que je vende *Playboy* sous le manteau? Comment pourrait-on faire du trafic avec des choses qui traînent partout?

Albert Conway acquiesça d'un air fasciné, comme s'il découvrait tout un monde nouveau.

– En somme, monsieur Panchine, c'est une simple distraction. Un hobby, en quelque sorte. Un peu comme ces concierges qui ne peuvent s'empêcher de lire le courrier des locataires.

Il reprit la formule, s'en trouvant apparemment fort satisfait.

– Hein, c'est ça dans le fond. Vous et vos pareils, vous êtes un peu les concierges du ciel.

Tod songea qu'il n'avait pas encore demandé à ce satané flic ce qu'il était venu faire chez lui. Il avait pourtant le droit de le savoir. Mais il n'avait décidément pas envie de l'interroger franchement.

– L'ennui, Panchine, déclara abruptement Conway, c'est qu'on croit parfois faire des choses parfaitement anodines, et qu'elles ne le sont pas du tout.

Le flic jouait avec une espèce de cordelette. Tod la devinait plus qu'il ne la voyait. Elle s'enroulait et se déroulait dans l'ombre, autour des deux grosses mains.

– Pourquoi croyez-vous que certaines personnes se donnent la peine de coder leurs messages et de les envoyer par satellite? continua Conway. C'est compliqué, c'est coûteux... A votre avis, pourquoi?

– Je ne comprends pas ce que vous voulez.

Les mains du flic entrèrent dans la lumière maigre et

pisseuse que dispensait jour et nuit la petite lampe posée sur la planche interminable qui servait de bureau à Tod. Tod vit ce qu'il serrait autour de ses doigts. Lentement, le flic en tira une longueur, puis deux.

– Attendez! Qu'est-ce que vous voulez? Hein? Qu'est-ce que vous me voulez?

C'était du fil électrique rouge.

Tod avait appris la nouvelle par le réseau. Il s'informait généralement de cette façon, ne lisant presque jamais les journaux. Michael Black, étranglé avec du fil électrique rouge. Ce type... était-ce possible? Il avait tellement l'air d'un flic. Les mains de Tod cherchèrent désespérément le clavier de l'ordinateur. Son seul recours, sa seule arme. Comme s'il pouvait encore se sauver en lançant un S.O.S.

– Les assassins ont oublié ça autour de son cou, dit Conway. Vous le connaissiez bien? Mais si... ne faites pas l'idiot, Black. Ce n'était pas le premier, vous savez?

L'échine collée à son dossier, Tod semblait inspecter en vain par la pensée sa maison, en quête d'une retraite, d'une issue.

– Qu'est-ce que ça veut dire, pas le premier? demanda-t-il pour gagner quelques instants.

– Le fil électrique autour du cou. Il n'est pas le premier à mourir comme ça. La précédente victime était un type dans son genre, ou dans le vôtre. Un fouineur. Avec de très, très grandes oreilles. Méfiez-vous, Panchine, vous êtes peut-être le prochain.

Tod fit involontairement un mouvement du bras et heurta Big Jim qui se mit à danser la gigue en jetant des étincelles avec ses yeux.

– N'ayez pas peur, dit Conway, ce n'est qu'un robot.

Tod sentit des larmes couler sur son nez et cela acheva de le désemparer.

– Qu'est-ce que vous me voulez? gémit-il de nouveau. Pourquoi me racontez-vous tout ça?

Conway rangea le fil rouge dans sa poche et se composa un sourire avenant.

– Et si on buvait une petite bière? proposa-t-il. Je n'irai pas jusqu'à vous demander une chaise, je vois que c'est impossible, mais je pense qu'une bière nous ferait du bien.

Tod s'essuya le visage avec sa manche et se baissa sans cesser de regarder Conway pour attraper deux canettes.

– Pourquoi avez-vous dit que je serais le prochain?

– Je ne le souhaite pas, croyez-moi. Sinon, je ne serais pas là. Mon métier est précisément de vous protéger, monsieur Panchine.

Ils burent en silence pendant un moment.

– Racontez-moi, dit Conway. Comment ça fonctionne, votre réseau?

– Je corresponds avec des amis, rien de plus.

– Vous feriez mieux de réfléchir, Panchine. Je ne plaisantais pas tout à l'heure. S'ils remontent jusqu'à vous, vous êtes bon.

– Mais qui?

– Écoutez, je vais être franc avec vous. Je n'en sais encore rien. Mais je veux absolument le savoir. Et je compte sur vous pour m'aider à le découvrir.

Tod se demanda s'il était possible de faire confiance à ce type, ou à un flic en général. Mais il n'était plus très sûr d'avoir le choix. Malgré tout, depuis qu'il avait commencé à boire de la bière, il lui paraissait plus humain. Peut-être aurait-il dû lui offrir un joint?

– C'est que j'ai jamais collaboré avec les cognes, moi, dit-il d'un ton volontairement provocateur.

– Ne croyez pas qu'ils vous le suggèrent sans répugnance, répondit Conway. Maintenant, écoutez-moi bien. Je suis persuadé que, si je fais fouiller dans vos petites affaires, ici, je vais trouver de quoi vous faire coffrer dix fois... et sans doute aussi la réponse à certaines questions que je me pose. Seulement, premièrement, je suis pressé et, deuxièmement, si vous ne videz pas votre sac, j'ai fermement l'intention de vous laisser en liberté.

Il tapota la poche où il avait rangé le fil électrique rouge.

— Que diriez-vous d'un entrefilet dans les journaux mentionnant que la police enquête auprès d'un certain Tod Panchine, connu pour s'être livré à des trafics d'informations illicites avec le regretté Michael Black?

Conway termina sa bière à petits traits pour laisser à Tod le temps de réfléchir.

— Que saviez-vous de ce Black?

— Pas grand-chose. Avec les membres du réseau, on correspond mais on ne se voit jamais. On échange des tuyaux, des renseignements, des images, des enregistrements.

— Vous en vivez, non?

Tod lui jeta un regard méfiant.

— Qu'est-ce qui me prouve que vous n'enquêtez pas là-dessus? Que toute votre histoire n'est pas qu'un montage pour me faire parler?

Conway ouvrit son portefeuille et fit planer une photo au-dessus de la table, en direction de Tod. Le corps de Black, tordu sur le sol, le fil électrique autour du cou, tel que l'avaient découvert les flics de Santa Barbara.

— Ça vous dit?

— D'accord, mais posez-moi des questions plus précises. Je n'ai pas envie de vous raconter ma vie si c'est pas nécessaire.

— Très bien. Savez-vous qui a tué Michael Black?

Tod enfonça un petit bouton sur un boîtier près de lui, et Big Jim émit son effroyable rire métallique. Conway attendit, imperturbable.

— Vous ne me croirez pas, répondit enfin Panchine.

— Essayez toujours.

— Le KGB.

— Ben voyons.

134

Conway avait répliqué machinalement. Pourtant, à son propre étonnement, quelque chose s'était noué dans ses entrailles. Un petit signal qu'il connaissait bien.

– Le KGB, hein? répéta-t-il. Je ne vous en demandais pas tant. Faut-il que vous ayez envie de me faire plaisir!

– Scott Dale, Brian Stein, Voronine, égrena Tod avec un rictus triomphant.

La masse du flic se rapprocha de lui.

– Je crois que nous avons encore des choses à nous dire, Panchine.

Cela prit une vingtaine de minutes. Tod répondit docilement à toutes les questions, sans jamais en dire plus que ce que Conway lui demandait exactement. C'était chez lui une vieille habitude : libérer les informations une à une, ne jamais rien donner gratuitement.

Très vite, Conway ne douta plus que le puzzle qui était en train de se mettre en place devant lui fût le fidèle reflet de la vérité. Comme il l'avait supposé, Brian Stein s'était réfugié chez Scott Dale. Dale et les Soviétiques s'efforçaient de récupérer quelque chose qui naguère se trouvait chez Voronine et maintenant avait été transféré dans un hangar des faubourgs de Boston. Des agents soviétiques avaient tué Voronine et Black. Un détail passa à travers le bombardement de questions. Tod ne dit pas à Conway que les uns et les autres cherchaient des disquettes cachées dans un ciboire. Des événements récents, il avait tiré la conclusion que c'était là l'information mortelle. Il ne désirait pas subir le même sort que Michael Black.

Une anomalie intriguait particulièrement Conway. Pourquoi les Soviétiques avaient-ils supprimé ce Black qui les renseignait si précieusement?

– C'était du petit gibier, lui expliqua Tod. Ils l'entretenaient mollement pour le cas où un jour il aurait un truc vraiment intéressant à leur vendre. Mais pour eux, à mon avis, ce n'est pas une grosse perte.

Conway continuait à ne pas comprendre.

– Précisément! s'exclama-t-il. Ils tenaient enfin un filon. Pourquoi ne pas l'exploiter jusqu'au bout?

Tod sentit un frémissement de terreur le parcourir. Et Conway sut à son expression qu'ils étaient parvenus tous deux à la même conclusion. Si les Russes avaient préféré se débarrasser sans délai de quelqu'un qui pouvait encore leur être utile, on pouvait en déduire qu'il était sacrément important pour eux de ne rien laisser transpirer de l'affaire qui les occupait. Leur seul souci, apparemment, était d'étouffer quelque chose. Restait à savoir quoi.

Tod sursauta. Une sonnerie venait de se déclencher dans la pièce. Conway le vit jeter autour de lui des regards affolés.

– Qu'est-ce qui se passe?

– Rien, rien.

– On ne dirait pas.

La sonnerie s'interrompit. Il y eut un cliquetis puis une série de bruits saccadés.

– Et ça? demanda Conway en cherchant à localiser la source de ces sons agaçants.

– C'est l'imprimante.

– Vas-y, fais comme si je n'étais pas là.

Tod se leva à demi de sa chaise pour se baisser. L'imprimante était par terre, sous la table. Il en arracha un morceau de papier.

– Un message?

– J'en reçois souvent.

Tod effleura des yeux la feuille que ses doigts maladroits avaient déjà froissée. Conway eut l'impression que la sueur jaillissait de son front.

– Mauvaise nouvelle, Panchine?

Tod ne se décidait pas à lire.

– Ne te gêne pas pour moi, Panchine. On peut savoir qui t'écrit?

– Personne.

– Ah non?

– Non. C'est... une interception.

– Tu veux dire que tu as encore été fouiller dans la boîte aux lettres des autres?

Tod déchiffrait un ou deux mots puis relevait la tête, comme pour faire durer le plaisir.

– Allez! Raconte! lui ordonna Conway.

– Ambassade soviétique de Washington à consulat de San Francisco, annonça Tod.

– Montre-moi ça! s'écria Conway en se ruant sur le bout de papier.

Tod serra le message sur sa poitrine en poussant un glapissement. Conway leva la main pour frapper puis renonça. Ce garçon était en train de perdre la boule.

Conway se sentait maintenant pressé d'en finir. Il n'était resté que trop longtemps dans l'atmosphère nauséabonde de la petite maison. Ce rat et son robot grotesque le rendaient malade.

– Allez, lis-moi ça gentiment. Si tu veux mon sentiment, Panchine, tu as mis ton vilain nez dans une affaire trop grosse pour toi. A ta place, je me dépêcherais de refiler le bébé à un homme d'expérience. C'est ta meilleure chance de t'en tirer sans bobos. D'accord?

Tod hocha docilement la tête.

– C'est en russe? lui demanda soudain Conway, pris d'inquiétude.

– Codé, répondit Tod qui, pour la première fois depuis un bon moment, s'autorisa un sourire plein d'assurance. T'inquiète pas, flic, mon petit programme nous a craché un texte en anglais. Enfin presque.

Conway ne broncha pas.

– Échec récupération Boston, lut Tod. Bordel rend mission impossible.

– Quoi? gueula Conway.

– Le programme peut avoir des failles, admit Tod. Mais ça doit être l'idée. Je reprends : Identification objets trop longue. Nécessaire savoir où chercher exactement avant reprendre recherches. Coups de feu échangés. Un homme touché. Sans doute tué. Nommé Wallop. Inconnu. Ignorons toujours nature informations détenues par Voronine. Lien avec Cosmos 1692 établi.

— Continue, souffla Conway, continue...

— Informations probablement connues de Brian Stein et maintenant de Scott Dale. Et d'autres? Affaire de Boston semble le prouver. Cesser tentatives élimination Stein. Le prendre vivant et le faire parler. Urgent et nécessaire. Rappel : reste 23 jours avant jour J.

Tod respira un grand coup.

— Voilà, dit-il. Fin du message.

Vingt-trois jours. Que se passerait-il dans vingt-trois jours? Albert Conway croyait le savoir.

— Qu'est-ce que tu fais dans ces cas-là? demanda-t-il.

— Comment ça?

— Si je n'étais pas là. Tu en ferais quoi de ce message, tu le garderais pour toi?

— J'ai un accord avec Dale, dit Tod. En principe, je lui aurais transmis.

— Et vendre Dale au KGB, ça faisait aussi partie de tes accords avec lui?

Tod blêmit.

— Je n'ai pas fait ça, bredouilla-t-il. Je reconnais que je n'aurais jamais dû raconter l'affaire à Black. C'est un vieux copain. J'avais confiance en lui. Je ne pouvais pas prévoir qu'il allait...

— Tais-toi, tu m'écœures. Tu savais très bien qu'il était en relation avec les Russes. La vérité, c'est que tu vendrais ta mère pour une bouchée de pain.

— Je vous jure...

— Comment crois-tu que je sois arrivé ici? Par hasard? Et ça?

Il brandit le petit carnet de Michael Black.

— Payer mille dollars à Panchine. Je l'ai inventé, ça?

— Je lui ai prêté du fric, je n'ai...

138

– Ferme ta gueule ou tu apprendras ce que c'est que d'être vendu pour pas cher.

Conway n'avait pas cessé de réfléchir. Il se trouvait loin de Palo Alto. Trop loin pour protéger Brian. Mais il faudrait aussi un certain temps aux Russes pour se mettre en branle. Il disposait d'un peu de temps pour se rapprocher. Il voulait être là-bas s'il se passait quelque chose. En prévenant Dale trop tôt, il lui laissait la possibilité de planquer le gamin et il préférait éviter. Il fallait qu'il sache où était Brian. Ne pas lui permettre de s'évanouir dans la nature. Sinon, le KGB risquait de le rattraper avant lui.

– Alors, déclara-t-il enfin, tu vas faire comme d'habitude. Tu vas transmettre à Dale. Ça te convient, non? Tu vois, je suis un brave type, au bout du compte. Je n'ai même pas l'intention de te priver de ton petit trafic lucratif. Mais écoute-moi bien, à présent. D'abord, tu restes à ma disposition. A chaque fois que j'aurai une question à te poser, tu répondras comme aujourd'hui, bien gentiment. Et moi, je ne paie pas. Compris, Panchine? Avec moi, ce sont *toujours* les autres qui casquent. Deuxièmement, tu vas attendre avant de transmettre le message. Tu appelleras dans exactement... deux heures et demie. Ça y est, tu as décodé tout ça dans ta petite tête?

– Je crois.

Conway sortit comme il était venu, avec une discrétion dont il ne paraissait pas capable.

SiliCOM avait désigné sept de ses membres, et Dale ne convoquait plus qu'un comité restreint qu'il présidait. Mais, aujourd'hui, ils n'étaient que six. Face à Scott venaient de s'allumer les écrans de Smith, Clyde, Rucker, Philips et Iakimidis. Le septième, qui aurait dû lui montrer quelque part sur la gauche le visage doux et malicieux de Rossetti, resterait noir.

L'ambiance n'était pas à la franche gaieté. Dale se sentit parcouru par une vague de colère en examinant la tête que faisaient ses amis. On aurait dit un groupe de condamnés à mort attendant avec résignation le supplice. Seul ce vieil enragé de Smith semblait encore posséder quelque énergie. Dale était convaincu d'être pour sa part habité par une volonté de lutter qui ne s'éteindrait qu'avec son dernier souffle. Pourtant, il lui fallait convenir que les événements récents ne laissaient guère de place à l'espoir.

[VIDPA]

DALE : ⟨Eh bien, qu'est-ce qui se passe, vous avez reçu de mauvaises nouvelles?⟩

RUCKER : ⟨Fais-moi plaisir, Scott, oublie de faire le malin. Je sais que nos réunions Vidpa se doivent d'être enjouées, mais je crains de ne pas avoir envie de suivre.⟩

CLYDE : ⟨Ça va, ça va. Est-ce que j'ai l'air inquiet, moi?⟩

SMITH : ⟨Par quoi commençons-nous?⟩

CLYDE : ⟨Le compte à rebours, si vous permettez. Je pars dans vingt-trois jours.⟩

IAKIMIDIS : ⟨Scott, résume-nous la situation.⟩

DALE : ⟨Inutile de revenir sur ce qui s'est passé à Boston, je pense. Rossetti est au Canada. L'agence Grapefruit de Toronto se charge de lui. Il va attendre là-bas que les choses se tassent. Il est... plutôt traumatisé. Hors circuit en ce qui nous concerne. Le principal est qu'il ait réussi à échapper aux flics. L'enquête serait très vite remontée jusqu'à nous.⟩

RUCKER : ⟨Et Wallop? Cette piste-là les conduira sur nos traces tout aussi vite.⟩

DALE : ⟨Nous assumerons plus tard d'une façon ou d'une autre, je vous le promets. Nous aiderons sa famille. Mais, pour l'instant, nous sommes obligés de nier que les activités nocturnes de Frank Wallop nous concernent en

140

quoi que ce soit. Je reconnais que c'est moche, mais nous n'avons pas le choix.⟩

RUCKER : ⟨Tu n'as pas l'intention de le faire passer pour un petit braqueur qui arrondissait ses fins de mois à notre insu?⟩

DALE : ⟨...⟩

SMITH : ⟨C'est idiot. Il s'agissait du hangar où sont entreposés les biens de Voronine. Les flics ne tarderont pas à faire la relation.⟩

DALE : ⟨Nous avons commis une erreur. Il ne fallait pas nous y prendre de cette façon. Mais il est trop tard.⟩

SMITH : ⟨Tu ne réponds pas à la question.⟩

DALE : ⟨Je te l'ai dit, nous nierons. Ils ne nous croiront peut-être pas mais ils ne peuvent rien prouver. Il s'agit de gagner du temps. Nous choisirons une autre stratégie quand Discovery aura décollé, à condition d'en trouver une meilleure. Nous ne pouvons pas risquer un conflit américano-soviétique pour laver la mémoire de Frank Wallop, je suis désolé.⟩

PHILIPS : ⟨Ce flic qui est venu te voir, Conway... il comprendra immédiatement que tout cela est lié, lui.⟩

DALE : ⟨Oui. Mais il ne prouvera rien non plus. L'important n'est pas qu'ils fassent ou pas le rapport entre Voronine, Brian, Wallop, etc., mais qu'ils ne devinent pas la nature de ce rapport. Pour l'instant, à mon avis, ils ne voient là qu'une succession d'affaires criminelles ou crapuleuses. Même si notre réputation doit en prendre un coup, nous ne devons rien faire pour les orienter différemment.⟩

SMITH : ⟨Le hangar va être surveillé.⟩

DALE : ⟨Évidemment.⟩

SMITH : ⟨Quelles sont les perspectives d'action?⟩

DALE : ⟨Il faut espérer que quelque chose va se débloquer.⟩

IAKIMIDIS : ⟨Quoi? Tu veux dire : aucune. Nous sommes coincés, ligotés. Nous n'avons plus aucun moyen de récupérer les disquettes.⟩

DALE : ⟨A nous d'en découvrir un.⟩

SMITH : ⟨Vous ne trouvez pas qu'on a assez joué? Nous avons essayé, nous avons échoué. Tu ne crois pas qu'il est temps de passer la main, Dale?⟩

DALE : ⟨A qui?⟩

SMITH : ⟨Les repreneurs potentiels ne sont pas très nombreux. Il faut alerter la CIA. C'est la guerre, Dale.⟩

DALE : ⟨Je suis d'accord sur ce dernier point. Ils ont tué l'un des nôtres et d'autres, dont John, sont menacés. C'est la guerre mais, pour le moment, entre eux et nous. Nous aurons la peau de Cosmos. D'ailleurs, nous avons déjà parlé de tout ça. Nous avons le devoir de lutter jusqu'au bout pour éviter un conflit ouvert.⟩

IAKIMIDIS : ⟨Il y a une autre solution. Il faut saboter le lancement de Discovery. Je veux dire le retarder, l'empêcher.⟩

CLYDE : ⟨Et comment?⟩

IAKIMIDIS : ⟨Je l'ignore. Nous sommes puissants, nous bénéficions d'une certaine audience, d'une certaine dose de crédibilité. Nous pourrions mettre en doute ouvertement la fiabilité de tel ou tel système électronique, des ordinateurs de bord..., je ne sais pas. La compétence de Clyde est unanimement reconnue. Sa société opère actuellement au cœur du programme. S'il affirme avoir détecté des anomalies, sa voix sera entendue. Étant donné la sensibilité actuelle de l'opinion et des responsables, ça devrait marcher. Personne ne voudra prendre le risque d'un nouvel échec. Ce n'est peut-être pas très glorieux, mais un drame affreux sera évité.⟩

DALE : ⟨Clyde?⟩

CLYDE : ⟨Il n'en est pas question. Discovery doit partir. Et, si cela ne vous fait rien, la Navette doit revenir.⟩

DALE : ⟨Merci. Je comprends ton point de vue, Iaki, mais ta solution aurait des conséquences presque aussi graves qu'une seconde explosion. A savoir la mort du programme spatial américain.⟩

IAKIMIDIS : ⟨Quelques mois de retard supplémentaires. Le

délai qui nous permettra peut-être de résoudre le problème de la façon que tu souhaites.⟩

DALE : ⟨Au moins un an. Si les accusations de Clyde sont prises au sérieux, au moins un an de vérifications, de commissions d'enquête, de marchandages politiques, etc. Surtout qu'a priori ils ne devraient rien trouver. Rien de plus long que de découvrir une anomalie qui n'existe pas. Et Clyde déconsidéré. Non. Non. Sans compter que, dans ce genre de domaine, le temps perdu ne se rattrape pas. Un an d'immobilité et c'est comme si on en perdait trois. Que croyez-vous que cherchent les Soviétiques ? A abattre systématiquement tout ce qui vole ? Ça faisait vingt ans qu'ils étaient à la traîne. Or, grâce aux événements récents, ils sont en passe de reprendre la tête. Ils n'en désirent pas plus. Encore un vol raté ou annulé et l'espace leur appartient pour longtemps. Mais, si vous le souhaitez, nous pouvons mettre la proposition de Iakimidis aux voix.⟩

Conway s'était arrêté à Cheyenne pour téléphoner. Il s'en voulait horriblement. Il en voulait à son père qui lui avait donné dès sa plus tendre jeunesse l'habitude de se conformer aux habitudes du pays. Au Texas mange des fruits texans, en Virginie fume des cigarettes de Virginie, à La Nouvelle-Orléans écoute du jazz... en Californie lis des journaux californiens. Certes, il avait appris ainsi le meurtre de Michael Black. Mais il avait manqué un épisode sans doute plus important encore : l'assassinat d'un certain Frank Wallop dans le garde-meuble où avaient été déménagés les biens de Voronine. Pas un mot à ce sujet dans le *Los Angeles Times*. Il lui fallut fouiller dans la presse de la côte est pour trouver cinq lignes rappelant l'incident.

C'était la première fois de sa carrière qu'il apprenait un élément capital pour son enquête grâce au KGB. Le message intercepté par Panchine en disait plus long que les journaux de New York ou de Boston. Donc, un homme avait été tué en essayant de fouiller dans les affaires de Voronine; tué certainement par des agents soviétiques chargés de voler la même chose que lui. La différence, c'était que ce Wallop, contrairement aux types du KGB, savait sans doute avec précision ce qu'il cherchait. Et il le savait parce qu'il agissait sur ordre de Scott Dale, lui-même renseigné par Brian Stein.

Le premier coup de téléphone, destiné à la police de Boston, lui permit d'établir que Wallop travaillait pour le compte de l'agence locale de Grapefruit. Ça collait.

Par un second appel, il s'assura que le hangar était l'objet d'une surveillance renforcée.

Il était trop tard pour enquêter à Boston. Wallop était mort et rien ne prouvait qu'il tirerait quelque chose du personnel de l'agence Grapefruit.

Seul Dale pourrait lui révéler quel rapport il y avait entre un satellite Cosmos, le lancement de la Navette et un vieux Russe blanc.

Ils avaient eu recours à des ruses de Sioux pour quitter la maison de Palo Alto. Ils avaient feint d'aller se promener dans les jardins puis s'étaient dirigés vers le chemin de terre battue qui, loin derrière les buttes, servait pour les livraisons et les véhicules utilitaires de SiliCOM. Fay s'était fait prêter les clés de la camionnette à bandes obliques rouges, bleues et blanches qui stationnait là depuis la veille. Sur les flancs se détachait l'inscription : FUTURELAND.

Fay et Brian se rapprochaient maintenant du parc. Tout au long de la route, ils n'avaient cessé de plaisanter et de rire. Cela faisait très longtemps qu'ils ne s'étaient pas sentis l'un comme l'autre le cœur aussi léger.

144

– Et là-bas? demandait Brian. Tout le monde te connaît, là-bas. Comment allons-nous faire?

– Ne t'inquiète pas, j'ai mon plan.

La *highway* s'élargissait et, pourtant, la circulation se faisait de plus en plus dense. On aurait dit que toute la Californie convergeait vers un même point. Quinze mille visiteurs quotidiens, deux mille hectares déjà occupés par un projet en constant développement. A dix kilomètres du but, des panneaux géants commençaient de l'annoncer : WELCOME IN FUTURELAND. Puis apparut tous les deux cents mètres, plantée sur une perche, la sympathique boule jaune qui servait de mascotte au parc : Frutty, le pamplemousse aux pattes courtaudes, dont les yeux étaient des écrans montrant des Frutty à l'infini, la langue une bande de papier perforé orange disant: *Hello, I'm Frutty*, et le couvre-chef un chapeau claque planté d'antennes. Entre-temps, on voyait clignoter en lettres cursives de néon la formule : DEMAIN C'ÉTAIT HIER.

A un kilomètre de l'entrée, les voitures se rangeaient sur cinq files le long de rails sur lesquels se déplaçaient à une vitesse stupéfiante des jeunes filles en tunique jaune citron. Elles arrivaient en souriant, les fesses posées sur une selle, vendaient les billets, distribuaient aux enfants de moins de douze ans des autocollants qui permettraient de les retrouver s'ils se perdaient, puis fonçaient jusqu'au véhicule suivant, emportées par un manège perpétuel. Mais, déjà, on n'avait d'yeux que pour l'arche de verre monumentale qui signalait l'entrée du paradis et des parkings sans fin où l'on abandonnait les voitures.

Fay et Brian quittèrent la *highway* avant de se mêler à la cohue. La camionnette prit une voie de délestage sur la gauche et continua vers la zone réservée à l'administration et au personnel du parc. Fay semblait moins enjouée que tout à l'heure.

– Il va falloir que je m'identifie, bougonna-t-elle. Sinon, ils ne me laisseront pas entrer.

Elle ralentit pour jeter un coup d'œil à ses pieds.

– Tu tiendrais, là? demanda-t-elle.

– Où?

– Là. Par terre. Est-ce que tu peux te recroqueviller devant le siège pour que personne ne t'aperçoive par les vitres?

– Hum...

– Juste une minute.

– D'accord, d'accord.

Ils passèrent ainsi les deux contrôles successifs. Ici, tout le monde connaissait Fay. Par chance, personne ne tenta d'engager la conversation avec elle.

– Est-ce que je t'ai déjà raconté comment j'ai rencontré Scott?

– Non, répondit Brian sans enthousiasme.

– Ça va, tu peux te redresser, à présent. Oh, rassure-toi, je n'avais pas l'intention d'entrer dans les détails. Quand nous nous sommes connus, je travaillais ici comme conseillère historique.

– Sans blague?

– Oui. En fait, c'est tout ce que je voulais te dire. Voilà, je surveillais la fabrication des costumes, des décors, etc., pour l'ensemble des attractions de caractère historique. Scott avait donné des instructions pour que toutes les reconstitutions soient d'une parfaite fidélité. Un jour, le parc a commandé trois cents mètres de tissu pour une scène animée où l'on voit figurer quelques-uns des plus grands inventeurs du XIXe siècle. C'était du synthétique et j'ai refusé qu'on l'utilise parce qu'à l'époque les tissus de synthèse n'existaient pas. Le responsable du projet m'a ri au nez. Il estimait que ça n'avait aucune importance. Alors, j'ai menacé de démissionner. Or, le grand Scott Dale, qui passait par là, est venu voir la tête qu'avait la petite peste qui prétendait mettre au rebut trois cents mètres de bon tissu. Il m'a donné tort mais, le lendemain soir, j'ai dîné avec lui. Et, finalement, le tissu a servi à décorer le pavillon des médecines nouvelles. Tu entres?

Fay avait ouvert la porte d'une remise très basse et

très longue, au toit de tôle. Brian découvrit des morceaux de décor en carton-pâte, des meubles, des enseignes, des accessoires de toute sorte, de quoi jouer au cow-boy ou au Martien, se transformer en Thomas Edison ou en Albert Einstein. Plus des machineries, des pompes, des moteurs, des carcasses...

– C'est du matériel qui ne sert plus, indiqua Fay. Mais qui pourra sans doute être réutilisé d'une façon ou d'une autre. Tu viens?

Plus loin, pendus à de longues barres de fer, s'étageaient des milliers de costumes. Brian se mit à fouiller en riant dans les robes de velours, les armures médiévales, les combinaisons spatiales, les fracs et les tenues de plongée.

– Ça non plus, ça ne sert plus? s'étonna-t-il.

– Provisoirement. Soit ils appartenaient à des attractions qui ont été supprimées, soit ils ont besoin d'être remis en état.

Fay avança en faisant coulisser d'un bras puis de l'autre les vêtements sur les tringles, à la manière d'une nageuse luttant contre un fort courant.

– Qu'aurais-tu aimé être dans la vie, Brian? demanda-t-elle. Un lutin, un dompteur, un trappeur, un chirurgien, un... non, pas un astronaute, ce n'est pas le moment.

– Je ne sais pas.

– Eh bien, moi, je crois que j'ai trouvé!

Et Fay se précipita sur la tenue de son choix.

Bien sûr, la proposition de Iakimidis avait été repoussée. Le jeune fondateur de Memo Eleven, la plus célèbre société spécialisée en intelligence artificielle du pays, n'avait lui-même défendu qu'assez mollement sa motion.

Mais renoncer à une idée ne leur en inspira pas d'autre. Tous éprouvaient les mêmes velléités belliqueuses mais se sentaient pareillement désarmés face à un adversaire contre lequel ils ne pouvaient rien.

[VIDPA]
RUCKER : ⟨N'avons-nous reçu aucun renseignement utile de nos correspondants?⟩
PHILIPS : ⟨J'ai parlé avec un type qui habite Hawaii et qui croit avoir perçu un signal identique à celui qu'a décrit Voronine, lors du lancement raté d'une fusée Titan. Mais il n'en possède aucun enregistrement. C'est tout.⟩
SMITH : ⟨Rien d'utile, donc.⟩
DALE : ⟨Il nous faut les disquettes. Il nous faut le ciboire.⟩
SMITH : ⟨On dirait des incantations. Tu nous as expliqué toi-même qu'il n'y avait à peu près aucune chance de les récupérer.⟩
CLYDE : ⟨Et le flic que tu as vu? Il ne te paraît pas possible de s'entendre avec lui?⟩
DALE : ⟨Conway..., oui. Conway. Si je ne me souvenais pas aussi nettement de sa sale gueule, je dirais qu'il représente un de nos derniers espoirs.⟩
SMITH : ⟨FBI? CIA?⟩
DALE :⟨L'un ou l'autre. En tout cas, il cherchait à me coincer, comme s'il avait un compte à régler avec moi. Moins il en saura, mieux ça vaudra. Il fera tout pour nous mettre des bâtons dans les roues.⟩
RUCKER : ⟨S'il sait que l'intérêt du pays est en jeu...⟩
DALE : ⟨Il considérera qu'il appartient aux services fédéraux de défendre l'intérêt du pays. Si nous lui parlons, nous revenons à l'hypothèse déjà rejetée. Il transmettra l'information à ses supérieurs, et en avant pour la grande bagarre. Nous incarnons tout ce qu'il déteste. La jeunesse, l'argent, le pouvoir, la liberté, la modernité... Je ne serais pas étonné qu'il ait même en horreur le soleil, le sable et la mer. Jamais on ne pourra faire entrer dans sa

148

tête de flic qu'il vaut peut-être mieux aider un groupe de milliardaires californiens que de risquer une nouvelle baie des Cochons, sinon pire. Si nous le placions devant ce choix, il serait capable de préférer le KGB. Eux plutôt que nous. Et pourtant, il ne doit pas y avoir plus anticommuniste que lui. Seulement, une grosse machine policière bien huilée, ça doit lui parler. Ça ne le déroute pas. ⟩

IAKIMIDIS : ⟨ Bref, vous n'avez pas sympathisé. ⟩

Pendant les conférences Vidpa, le rouge était mis. Interdiction à quiconque de déranger Scott Dale. Il fut donc surpris de voir entrer sa vieille et fidèle Janet, qui depuis près de huit ans lui servait tantôt de secrétaire, tantôt de gouvernante. Il l'interrogea du regard.

— Ce monsieur insiste terriblement, dit-elle. Il a déjà téléphoné trois fois. Il affirme que c'est d'une extrême urgence.

— Qui ça?

— M. Panchine.

— J'y vais.

Scott interrompit précipitamment la conférence et sortit en plantant Janet devant les écrans allumés.

Trois minutes plus tard, entendant Tod Panchine achever de lui lire le message, il se demandait s'il venait d'apprendre une bonne ou une mauvaise nouvelle. Certes, les agents soviétiques semblaient décidés à enlever Brian mais au moins n'avaient-ils plus l'intention de l'assassiner. Apparemment, l'adversaire était lui aussi dans une impasse, ne sachant plus comment faire progresser son enquête. Une lueur d'espoir lui vint. Après tout, il était possible que dans le doute les Soviétiques renoncent à saboter le lancement de Discovery. Non, non... il ne pouvait pas compter là-dessus. Maudit ciboire. Les Russes en savaient à la fois moins qu'il n'avait pu le craindre et plus qu'il ne l'avait à un moment espéré. Ils étaient en tout cas persuadés que Voronine avait détenu une clé essentielle concernant Cosmos 1692. D'où leur venait cette certitude? Décidément, Voronine avait dû avoir la langue trop bien pendue.

Ses yeux tombèrent sur un petit mot griffonné sur le bloc. Écriture familière.

– Merde!

– Monsieur Dale?

– Au parc. Ils sont partis au parc. Je leur avais pourtant interdit de mettre les pieds à Futureland... Avec Brian, mais c'est pas vrai!

– Monsieur Dale?

– Qu'est-ce que ça veut dire, ça, seuls les nounours nous reconnaîtront?

– Monsieur Dale?

– Rien, rien. Merci, Panchine. Continuez. Transmettez-moi sans délai tout ce que vous interceptez. Excusez-moi, je dois raccrocher.

– Vous n'oubliez pas...

– Non. Je n'oublie pas.

Le fric.

Scott appela aussitôt Futureland. Il dut patienter une dizaine de minutes avant d'obtenir le renseignement qu'il avait demandé. Oui, on avait vu arriver Fay. Au volant d'une camionnette du parc. Mais les deux gardes qui avaient contrôlé son entrée étaient formels. Elle était seule.

Chapitre 7

— J'ai l'impression qu'on nous observe, dit Brian.

— Tiens, c'est drôle, moi aussi, répondit Fay.

— Oui, que deux ou trois mille personnes m'observent.

— Tu es modeste. Attends un peu.

Quelle meilleure façon de passer inaperçus, s'était dit Fay, que d'attirer l'attention de tout le monde? Les adultes les regardaient en souriant et les enfants leur adressaient des signes de la main. Ils répondaient aux saluts sans cesser d'avancer en se dandinant un peu maladroitement.

— Je ne vais pas tarder à me lasser, annonça Brian.

— Tu es prié de jouer ton rôle correctement.

C'était ici même, à Futureland, que Franklin et Barbara avaient vu le jour. SiliCOM avait investi des millions de dollars dans la recherche sur les images de synthèse avant de produire le premier long métrage d'animation de son histoire. Le film était projeté en continu sur l'écran quasi hémisphérique de la Planète féerique, dans le bâtiment en forme de goutte d'huile situé au cœur du parc.

— Je boirais bien un bol de lait, dit Brian.

Franklin, c'était le chat génial qui avait inventé

l'arbre à souris, la vache sans fin et le paratonnerre à ennuis. C'était à la suite d'une regrettable erreur de manipulation qu'il avait fait surgir dans son laboratoire Barbara, la lapine folle du quaternaire.

– Et moi, je grignoterais bien une carotte, répondit Fay.

De temps en temps, un groupe de gosses un peu trop excités se précipitait sur eux et il leur fallait défendre gentiment les parties les plus exposées de leurs déguisements. Brian ramassait sa longue queue rayée et protégeait la grande brosse poivre et sel de ses moustaches. Fay soulevait ses interminables oreilles pendantes et grondait pour éloigner les agresseurs de ses désormais célèbres incisives en dents de sabre.

Il faisait terriblement chaud sous les fourrures.

– Est-ce une véritable peau de bête préhistorique ou avez-vous fait exception pour cette fois, Miss Barbara Fay?

– Parfaitement authentique. Et toi, mon cher, tu portes une véritable peau de génie félin, alors essaie de te montrer à la hauteur.

Ils parvenaient sur le vaste terre-plein de l'étoile, lieu de tous les choix. Chaque rayon de lumière stellaire était prolongé par une piste de couleur qui menait vers un secteur particulier de Futureland.

– Par quoi commençons-nous? demanda Fay.

Brian arpenta l'étoile pour lire les inscriptions et, non sans avoir hésité, se décida pour le Monde des Réalisations géantes.

Quelques minutes plus tard, ils se retrouvèrent face aux tourelles, aux flèches et aux arcs de la porte de verre monumentale. Sur leur droite, bien plus haut encore, tournait la grande roue dont chaque nacelle était la reproduction conforme d'une capsule Apollo.

– Je ne te propose pas de monter là-dedans pour l'instant, dit Fay. La grande roue est interdite aux animaux.

152

– Et ça, qu'est-ce que c'est?

Brian désignait une haute tour en forme de champignon.

– La tour du téléport. Le nœud du réseau de communications du parc.

Une nouvelle nuée d'enfants s'abattit sur eux en criant : Franklin! Franklin!

– Je crois que je suis beaucoup plus populaire que toi, remarqua Brian.

L'un des gardiens du parc se précipitait dans leur direction, vêtu de sa combinaison jaune pample-mousse.

– Dites donc, et les bonbons?

Fay et Brian se tournèrent vers lui, interloqués.

– Pour quoi croyez-vous qu'on vous paie? Vous êtes censés distribuer des bonbons aux enfants. Allez, remuez-vous un peu. Vous n'êtes pas là pour regarder les attractions.

Fay agita ses oreilles en signe d'excuse.

– Merde, oui, les bonbons, murmura-t-elle à Brian. C'était une idée à moi.

– Attends, je crois que j'en ai plein les poches.

Brian plongea sa patte dans la fourrure tigrée et produisit dans son gant griffu une poignée de pastilles collantes.

– Pouah! c'est dégoûtant.

– Oh, elles doivent traîner là depuis deux ou trois semaines, pas plus. Viens.

Ils croisèrent un couple de chameaux déhanchés, des collègues.

Fay entraîna Brian jusqu'au tunnel de verdure qui introduisait les visiteurs dans le jardin des végétaux géants. Là, de forts sérieux experts en botanique se livraient à des expériences sur les croissances monstrueuses, croisant des variétés ou des spécimens, mettant au point des engrais nouveaux, jouant sur l'exposition à la lumière...

Ils passèrent entre des concombres de quatre livres, des pamplemousses gros comme des ballons de volley, d'incroyables haies de haricots verts, des abricots de la taille du poing.

— J'ai faim, gémit Brian.

— Interdit!

Brian secoua sa patte pour détacher un bonbon gluant.

— Très bien. Sortons de là, alors.

Passé les deux contrôles, personne n'avait plus aperçu Fay. Scott était fou de rage. Déjà, il leur aurait difficilement pardonné cette escapade. Mais songer qu'ils avaient pu se séparer... Fay dans le parc sans Brian, Fay perdant de vue Brian sans le prévenir, non, c'était impossible. Quelque chose lui échappait.

Il emprunta une voiturette électrique à la maintenance et fila vers le centre de contrôle du parc. Il interrogea le personnel pour savoir si quelqu'un avait reçu des nouvelles de Fay. Personne n'était au courant de sa présence.

— Faites prévenir les pamplemousses qu'on la cherche, dit-il.

Ainsi étaient surnommés les cent cinquante gardiens qui arpentaient constamment Futureland.

Scott se mordit la lèvre.

— Attendez! Vous connaissez sa fréquence?

— Bien sûr, monsieur Dale.

— Essayez.

Comme tous les employées du Parc, Fay possédait un badge émetteur. Chaque badge émettait à distance sur une fréquence propre qui permettait de l'identifier et d'en localiser le porteur assez précisément.

— Je reçois quelque chose, monsieur Dale, dit le technicien. Mais assez faible. Du côté des Réalisations géantes.

– Qu'est-ce que ça veut dire, faible?

– Je ne sais pas. Peut-être Miss Fay est-elle dans un bâtiment souterrain.

– Précisez, bon sang!

– J'ai perdu le signal.

– Du côté des légumes, c'est ça?

– Je pense, monsieur Dale.

Scott se rua hors du bâtiment et reprit la voiturette.

Conway n'avait jamais mis les pieds dans un parc d'attractions et s'en était toujours très bien porté. Il détestait ces foules grouillantes et ces distractions qui abêtissaient la jeunesse au lieu de l'éduquer.

Et comment diable repérer un gamin là-dedans?

Il avait téléphoné à Tod juste avant d'arriver à Palo Alto, pour s'assurer que ses instructions avaient été suivies à la lettre. Difficile de lui faire confiance. Mais Panchine était de ceux que la trouille rendait obéissants. Le jeune pirate du Wyoming s'était même montré complaisant au-delà de toute espérance puisqu'il lui avait rapporté fidèlement chaque mot prononcé à l'autre bout du fil par Scott Dale. Restait à savoir si on n'avait pas essayé de le mener en bateau. Mais il avait décidé de prendre le risque. Si les informations transmises par Panchine étaient exactes, Brian se trouvait quelque part dans ce parc gigantesque en compagnie de Fay, la fille qui partageait la vie de Dale. Et il possédait pour unique indice cette phrase énigmatique : seuls les ours nous reconnaîtront. Ou quelque chose comme ça.

Conway s'arrêta devant un des nombreux points pamplemousses qui permettaient aux visiteurs de s'orienter dans Futureland. Il monta sur la petite plate-forme métallique et une voix prononça :

– Vous faites face au pavillon des Médecines nouvelles. Où désirez-vous aller?

Il jeta un coup d'œil sur le plan, attendant désespérément que son infaillible intuition lui souffle la réponse.

– Où désirez-vous allez? répéta la machine.

Il enfonça une touche au hasard.

– La Planète féerique. Suivez les pointillés.

De petits tirets de couleur s'allumèrent sur le plan, lui indiquant le chemin à suivre.

La Planète féerique... Pourquoi pas?

Il marcha. Bientôt, il vit de grands panneaux annoncer *Franklin et Barbara*, le dessin animé révolutionnaire projeté en exclusivité à Futureland. Oui, pourquoi pas? Ça semblait susceptible d'attirer un garçon comme Brian. Lorsqu'il parvint devant la structure en goutte d'huile de la Planète féerique et découvrit l'affiche gigantesque du film, il se dit qu'une fois encore son instinct l'avait probablement guidé dans la bonne direction.

– J'aurais quand même bien voulu assister à mes propres aventures, dit Brian.

– Pas aujourd'hui, nous n'aurons pas le temps. D'ailleurs, mon cher Franklin, les chats ne sont pas admis dans la salle.

– On ne peut aller nulle part, alors?

Ils laissèrent la Planète féerique loin sur leur gauche. Brian commençait à peiner sous sa fourrure rayée. Il devait faire au moins quarante degrés dans cette peau de chat. La vue des distributeurs de boissons fraîches le torturait.

Soudain, une bande de gamins surexcités fonça sur eux en hurlant :

– Attention! Les voilà! Attention, les ours!

Ils se retournèrent. Les trois ours les suivaient. Larry, Harry et Sonny. Les ennemis jurés du génial Franklin. Tous les enfants qui visitaient Futureland savaient que les trois ours avaient décidé de capturer Franklin pour l'obliger à transformer l'Atlantique en océan de miel et l'Empire State Building en ruche. Ils étaient aussi forts que bêtes, aussi agiles que méchants.

– Attention! Ils se rapprochent!
– Attention! Les ours!
– Les ours! Les ours!

Les trois ours feignaient de se dépêcher pour les rattraper. Fay prit Brian par la patte pour l'inciter à jouer le jeu. Ils coururent pendant trente mètres avant de s'arrêter, essoufflés et en nage. Larry, Harry et Sonny continuaient de trottiner derrière eux.

– Et c'est bien payé comme boulot? demanda Brian.

– Il y a des étudiants que ça arrange de venir faire l'ours au parc. Où allons-nous? Le musée des ordinateurs, le pavillon des communications?

– Pas dans un endroit fermé, s'il te plaît. Trop chaud.

– Alors, promenons-nous.

– Ils m'énervent, ces ours. Ils pourraient nous lâcher un peu, non?

– Il faut bien qu'ils justifient leur salaire. Attends. Viens par là, on va les semer.

Ils se mêlèrent à la foule qui descendait par de vertigineux escaliers mécaniques vers les profondeurs du Monde bleu. Un tapis roulant les emporta au cœur du plus grand aquarium jamais conçu. Le tunnel de verre sinuait parmi les eaux bleues que se partageaient des centaines d'espèces. Parfois, le fond sous-marin était tapissé d'amphores, plus loin gisaient des épaves rouillées, ailleurs avait été reconstituée une antique cité engloutie, avec ses colonnes brisées et ses pans de mur solitaires. Ici et là, des poissons multicolores s'agglutinaient contre la paroi transparente du tunnel.

La large piste roulante émergeait sur une île dont d'énormes vagues écumantes balayaient le rivage. De là, par diverses passerelles, on pouvait rejoindre le secteur du parc qu'on désirait parcourir ensuite.

Brian jeta un coup d'œil par-dessus son épaule velue.

– Merde! Encore eux.

Les trois ours avançaient de front en se dandinant pesamment. Fay éclata de rire.

– Si ça se trouve, dit-elle, ce ne sont pas les mêmes. Que penserais-tu d'un tour en soucoupe volante? Cette fois, à mon avis, nous allons nous débarrasser de ces abominables plantigrades.

A l'heure qu'il était, la majeure partie du personnel de Futureland avait dû être alertée. Il n'était pas possible qu'à eux tous ils ne finissent pas par retrouver Fay. Fay... et Brian.

Scott allait d'un endroit à l'autre dans sa voiturette. Il interrogeait les gardiens, les animateurs. Personne ne les avait vus aux alentours des Réalisations géantes. Pour la première fois depuis le jour de l'ouverture, le parc lui sembla trop grand. Scott avait investi là l'essentiel de son énergie pendant près de trois ans. Malgré tout, en croisant les orchestres ambulants, en voyant défiler devant lui les attractions et les pavillons, il ne pouvait s'empêcher d'éprouver un sentiment de fierté.

Il fallait retrouver Fay et Brian. Il fallait détruire Cosmos 1692. Il était tenaillé par l'impression confuse que tout ce qu'il voyait autour de lui, le fruit de tant d'efforts, serait menacé s'il n'y parvenait pas.

Où maintenant? Par là? Par ici? Peut-être se promenaient-ils à trente mètres de lui.

Il rappela le centre de contrôle.

– J'ai le signal, monsieur Dale, annonça le technicien. Du côté des soucoupes volantes. A la station de l'aquarium.

Scott remonta dans son petit véhicule électrique et le fit démarrer en pestant contre sa lenteur.

Il commençait à avoir mal aux pieds. Ce parc n'en finissait pas. Pourvu seulement qu'ils se soient contentés de visiter les attractions! Conway avait vu sur les plans qu'il existait en marge de Futureland des centaines d'hectares plantés d'arbres et parcourus de rivières, une sorte de parc bis réservé aux promeneurs, aux amoureux et aux pique-niqueurs. Oui, pourvu que Fay et Brian ne soient pas allés casser la croûte là-dedans...

Toutes ces lumières et tout ce bruit le rendaient malade. Il lorgnait avec envie les flèches vertes qui guidaient le public vers les issues.

Peut-être après tout aurait-il dû attendre tout simplement le retour de Brian à Palo Alto. Mais quelque chose l'avait convaincu qu'il y avait urgence, et Conway ne luttait jamais contre ses impressions. Même avec ses pieds gonflés et son souffle court, même las de s'user les yeux à parcourir une foule d'inconnus, il persistait à croire que ses actes obéissaient à de solides raisons.

Il les aperçut au moment où il ne les espérait plus guère : les ours, enfin! Seulement... ils étaient trois. Deux lui auraient suffi. Qui pouvait être le troisième? Pas Dale. Un garde du corps chargé de les accompagner? Possible.

Conway s'épongea le front avec soulagement. Il ne lui restait plus qu'à les suivre, à se mêler à leur escorte d'enfants braillards. Ensuite, il ne savait pas. L'essentiel pour l'instant était que Brian Stein rentre à Palo Alto sain et sauf. Il envisageait maintenant d'essayer ultérieurement de conclure un arrangement avec Scott Dale. Celui-ci venait de recevoir le message transmis par Panchine. Après le meurtre de Voronine, après l'affaire de Boston, il devait commencer à mesurer la force et la détermination de l'adversaire. Il fallait absolument le convaincre de cracher le morceau. Oui, et lui proposer en échange d'assurer la protection du jeune Brian. Au besoin, Conway pensait avoir d'autres arguments en réserve.

La piste des Montagnes magnétiques était longue d'un kilomètre et demi et sillonnait le parc, passant devant la plupart des grandes attractions. Les soucoupes qui y circulaient constituaient l'une des deux ou trois nouveautés révolutionnaires qui avaient fait la gloire de Futureland. Prévues chacune pour trois passagers, elles avaient pour socle un aimant placé au-dessus d'une masse semblablement magnétisée qui filait à grande vitesse, entraînant le véhicule le long d'un rail flottant littéralement, à un mètre du sol par magnétisation, comme sur un coussin d'air. Parfois, la piste s'élevait, ou même traçait dans le ciel une boucle vertigineuse : alors, le pôle du bloc d'Alnico, qui se déplaçait, invisible, sous le revêtement bleu, s'inversait brusquement et la soucoupe se collait à la piste.

Cinq petites gares champêtres permettaient d'avoir accès aux soucoupes. Fay et Brian en eurent une pour eux tout seuls, le troisième siège restant libre. On les harnacha comme des pilotes d'essai, non sans difficulté à cause des formes imposantes que leur donnaient leurs déguisements. Puis le préposé referma le couvercle en plexiglas de la soucoupe qui, malgré cette protection, demeurait ouverte sur les côtés à tous les vents : l'impression de vitesse en était renforcée. Le véhicule se souleva puis accéléra progressivement.

— A chaque fois c'est pareil, dit Fay. Je n'arrive pas à croire que c'est possible.

— Et ça, tu crois que c'est possible? lui demanda Brian en agitant sa grosse pattue griffue.

Fay tourna péniblement sa tête grotesque de lapine préhistorique pour regarder derrière elle.

— C'est pas vrai!

Les trois ours s'étaient installés dans la soucoupe suivante et partaient eux aussi, vingt mètres plus loin, à l'assaut des Montagnes magnétiques.

— Ils sont vraiment affreux, remarqua Brian.

L'un avait le museau pointu et le regard bigle, le

second les crocs éversés et le front bas, le troisième les oreilles déchiquetées et le poil galeux. Ils prenaient des poses balourdes et semblaient perpétuellement en train de comploter.

La soucoupe prit un virage à quatre-vingt-dix degrés et, l'espace d'un instant, Brian crut qu'ils allaient être éjectés de la piste. Et la vitesse continuait d'augmenter.

— D'après Clyde, dit Fay, quand on a vécu ça, les séances d'entraînement à la NASA ont l'air d'une partie de balançoire.

L'altitude croissait peu à peu. Brian avait maintenant l'impression qu'en tendant la main il aurait pu toucher le toit de certains pavillons. Comme la porte monumentale de verre paraissait petite, là-bas, perdue dans son brouillard de chaleur, et comme la foule des visiteurs s'était ratatinée!

Il cria.

D'un coup, la piste s'était inclinée, plongeant la soucoupe dans un gouffre. Brian jeta un coup d'œil sur les ours et constata avec satisfaction qu'ils ne semblaient pas trop à l'aise non plus. La pente remontait.

— Non, dis, c'est juste pour nous faire peur? s'écria-t-il.

Il apercevait à présent la boucle que traçait la piste juste après le haut sablier du pavillon du Temps.

— Mais non, mais non... Patience, tu ne perds rien pour attendre.

— Pas la tête en bas, quand même?

— Trop tard. Tu y es, tu y restes.

— Ce qui me console, c'est que les ours vont y avoir droit aussi. Qu'est-ce qu'il fait, il est fou?

— Quoi?

— Rien. L'un des trois ours... On aurait dit qu'il essayait d'enlever son harnachement.

— Ça m'étonnerait. En tout cas, mon cher Franklin, ce n'est vraiment pas le moment. Allez, regarde devant toi.

161

La soucoupe redescendait lentement. La piste était presque au niveau du sol. Les enfants se remirent à les saluer et à crier leurs noms. Les ours passaient, poursuivis par les huées et les invectives.

– On ralentit?

– C'est pour mieux tromper l'ennemi.

Un mur infranchissable se dressait devant eux, un ruban bleu qui se perdait dans la lumière éblouissante du soleil. Là-haut, le petit véhicule qui précédait le leur était en train de décrire un terrifiant looping.

– Il est descendu! s'écria Brian. A mon avis, cet ours crève de trouille.

C'était celui qui louchait affreusement. Il courait le long de la voie, poursuivi par trois ou quatre garnements qui le bombardaient de graviers.

– Il vient vers nous! Il se croit dans le film, ou quoi? Je commence à en avoir marre de jouer à Franklin. Allez, accélère, soucoupe, accélère!

De petits cailloux rebondirent sur le capot de plexiglas. L'ours était presque parvenu à leur hauteur. Il tendait les bras.

– Attention!

L'engin reprenait de la vitesse. Le profil abrupt de la grande boucle approchait. L'ours sauta sur le marchepied. Brian tenta de le repousser.

– Vous allez déséquilibrer la soucoupe! Descendez, vous êtes dingue!

L'ours cherchait à s'agripper à lui. Il semblait décidé à s'installer sur le troisième siège. L'effort lui arracha un grognement. Il avait réussi à introduire une de ses pattes velues dans la soucoupe. Le petit véhicule accélérait toujours, comme guidé par un rail invisible à un mètre du sol. En bas, les enfants poussaient des cris de joie.

– Sautez! hurla Fay. Sautez immédiatement.

Brian vit rouler les yeux bordés de cuir. Il était trop tard pour lâcher prise. La terre ferme fuyait à toute vitesse de part et d'autre de l'étroite piste bleue. Brian regarda avec terreur la paume noire qui lui étreignait le mollet, le museau pointu d'où s'échappait un râle d'effroi trop humain. L'ours avait engagé une jambe dans l'habitacle mais son autre genou reposait toujours sur le marchepied. Et la soucoupe commençait maintenant de s'incliner vertigineusement, survolant la piste qui se cabrait.

– Aide-le! Brian! Brian!

Engoncé dans son costume, collé à son siège par le harnachement, il eut toutes les peines à tendre les bras et à saisir la tête brune par les oreilles. Il tira mais, aussitôt, la poussée de l'accélération le renvoya avec brutalité contre son dossier. La soucoupe semblait maintenant foncer à l'assaut des nuages et du soleil.

Brian ferma les yeux, persuadé que l'aventure allait se terminer par une chute verticale. Et, l'instant suivant, il crut que ses craintes se confirmaient. Il y eut un choc terrible qui secoua toute la carcasse de leur fragile engin volant.

Parvenue à la limite de la rupture d'équilibre, la soucoupe s'était collée à la piste, brusquement attirée par l'aimant à la suite d'une inversion du pôle magnétique. Brian se força à tourner la tête vers la droite. L'ours avait presque entièrement disparu mais le gargouillis horrifié qui sortait de sa gorge indiquait qu'il luttait encore. Sa main tenait une barre métallique, à la base du siège de Brian, mais son corps devait pendre presque entièrement hors de la soucoupe : Brian entendait le frottement de la fourrure contre la piste. Fay bredouillait il ne savait quoi près de lui.

Ils ne voyaient plus rien : le soleil et le ciel s'étaient fondus en une seule nappe blanche aveuglante. Puis le monde se renversa, l'afflux de sang leur fit battre les tempes et ils perdirent tout point de repère spatial.

Tout s'arrêta. La soucoupe s'était immobilisée au sommet de la grande boucle, les laissant suspendus comme des chauves-souris, la tête en bas. Brian guetta le bruit que ferait le corps de l'ours en s'écrasant au sol. Mais seule une clameur parvint à ses oreilles. Il eut l'impression que tout le public du parc saluait leur numéro de ses hourras.

Un grognement. L'ours était encore là. Son corps se balançait dans le vide, au-dessous d'eux. Brian vit apparaître l'image inversée de sa gueule : museau pointu, oreilles pointues, yeux bigleux. Il devina la patte qui se tendait pathétiquement.

– Brian! le supplia Fay.

Il tâtonna, enfonça ses doigts griffus dans une masse de poils, tira. Il lui sembla que les épaules énormes descendaient du ciel. Encore un effort, maudit ours, tu y es presque.

Une secousse annonça le redémarrage de l'attraction. La soucoupe suivante, celle des deux autres ours, allait bientôt prendre leur place au sommet de la grande boucle. Brian la voyait arriver du coin de l'œil.

L'ennemi juré du chat Franklin achevait de se hisser. Il laissa échapper quelque imprécation inintelligible.

– Non! hurla Brian en repoussant la bête de toutes ses forces.

Il avait réagi avant de comprendre. Il avait reconnu les mots, sans savoir pourtant ce qu'ils signifiaient. Il les avait entendus déjà, dans la bouche de Voronine. C'était du russe. Il savait ce qui se cachait sous cette fourrure. Un tueur.

Conway semblait être le seul à ne pas croire qu'il s'agissait d'un formidable numéro d'acrobate. La foule comme le personnel du parc regardaient béatement ce fou déguisé en ours qui réalisait des prouesses, accroché à un wagonnet, quelques dizaines de mètres au-dessus du sol. Et tous semblaient attendre avec avidité ce qu'allaient bien pouvoir faire ses deux compères placés dans la soucoupe suivante.

164

Conway, lui, avait compris un peu tard. Très exactement lorsqu'il avait vu cette chose hirsute se précipiter sur ses proies : le chat et le lapin. Il avait eu raison de suivre les ours mais tort de penser que Brian et Fay avaient choisi cet accoutrement. Maintenant, il savait qui était qui. Seulement voilà..., il ne lui restait plus qu'à assister à cette scène absurde, en ignorant même quelle issue il fallait lui souhaiter.

Le véhicule glissait le long de la piste à une allure démentielle et l'ours tenait toujours bon. Conway s'était approché de la petite cabine de contrôle. Le préposé écarquillait les yeux, incertain de ce qu'il devait faire. Conway se tenait prêt à le lui ordonner mais le moment n'en semblait pas encore venu.

Du coin de l'œil, il vit arriver Scott Dale dans sa petite voiture électrique.

Tandis que la pente s'adoucissait, l'attraction magnétique se transforma à nouveau en répulsion et la soucoupe redécolla. L'ours, dont le corps avait été ballotté pendant quelques secondes de plongée démentielle, cessa de rebondir sur le revêtement. Comme dans un cauchemar, Brian vit réapparaître sa tête. Il perçut le mélange de fureur et d'effroi chez l'homme prisonnier du déguisement. Il ne savait plus s'il fallait lui tendre la main ou lui porter le coup de grâce. Brian ne put s'empêcher de croiser son regard brouillé par le sang ni d'entendre les sons rauques qu'expulsait sa poitrine; l'homme qui se cachait là était à bout de force. Fay, à ses côtés, semblait pareillement paralysée. Elle observait, fascinée, la lutte de l'étrange créature qui tentait une nouvelle fois d'agripper la barre métallique du siège.

La foule grossissait. Tous les yeux étaient levés dans leur direction. Ils plongeaient dans le décor coloré du parc. Juste au moment où Brian le repérait qui courait le long de la piste, Fay s'écria :

– Scott! Scott!

Dans quelques secondes, ils l'auraient doublé.

Conway agitait sa plaque luisante devant la face hébétée du contrôleur en répétant :

– FBI! FBI! Arrêtez immédiatement cet engin.

L'ordre sembla mettre un temps fou à parvenir au cerveau du technicien. Enfin, sa main s'approcha de la manette de sécurité grâce à laquelle on pouvait à tout instant stopper le mécanisme et immobiliser toutes les soucoupes en les plaquant sur le rail. Il regarda une dernière fois en direction de Conway comme pour bien indiquer qu'il se déchargeait sur lui de la responsabilité de l'acte qu'il allait commettre. Puis il tira.

Brian sentit que l'ours allait bientôt lâcher prise. La soucoupe planait maintenant à une allure modérée et la piste ne surplombait plus le sol que de trois ou quatre mètres. Il songea avec soulagement que le type qui se trouvait dans cette peau en serait probablement quitte pour quelques contusions, au maximum une fracture sans gravité. Que le choc le mette juste hors d'état de nuire, il n'en demandait pas davantage. L'ours mobilisa ses dernières forces pour se laisser glisser en douceur sur le revêtement bleu, sous le socle aimanté de la soucoupe.

C'est alors que se produisit le brutal atterrissage. Toutes les soucoupes qui survolaient les Montagnes magnétiques se collèrent à la piste. Le hurlement qui parvint aux oreilles de Brian fut si bestial qu'il se demanda soudain si ce n'étaient pas les os d'un véritable ours brun que la masse de l'aimant broyait. Il n'entendit même pas le cri de terreur qu'il savait avoir poussé au même instant, persuadé que la soucoupe allait être éjectée de la piste.

166

La voix de Fay lui déchira les tympans :

– Brian! Brian!

Puis il y eut un étrange moment de calme tandis que tous deux, de leurs doigts malhabiles, défaisaient les sangles qui les retenaient à la banquette. Deux hommes en combinaison jaune pamplemousse se précipitaient pour poser contre la piste leur échelle roulante. Fay descendit la première. Ils se retrouvèrent au milieu des curieux qui s'agglutinaient, parmi une foule soudain houleuse. Brian eut l'impression que tous s'étaient brusquement mis à haïr Franklin le chat et Barbara la lapine. Il ne put s'empêcher de lever les yeux, de regarder ce que contemplaient déjà des centaines de personnes. La grosse tête de l'ours pendait, toute rouge, et un filet de sang s'en écoulait.

– Viens! Ne reste pas là.

Fay le tirait à l'écart. Là-bas, l'échelle parvenait près de la soucoupe des deux autres ours; déjà ils s'apprêtaient à descendre et à reprendre leur chasse.

Enfin, Brian aperçut Scott. Fay se rua vers lui la première, l'étreignant entre ses bras tout mousseux de peluche. Scott paraissait partagé entre la consternation et la colère.

Ils n'échangèrent que quelques mots. Tout de suite, Scott comprit qu'il leur fallait éviter d'affronter les deux derniers ours. La voiturette électrique était trop petite pour les emporter tous les trois.

– Par ici! cria-t-il en les poussant devant lui. Le pavillon des hologrammes!

Ils croisèrent le flot des visiteurs qui ressortaient en hâte du pavillon, attirés par la rumeur de l'accident qui venait de se produire. Un grand panneau les accueillit :

SURTOUT, PAS DE PANIQUE!
SI VOUS VOUS PERDEZ, RENDEZ-VOUS À LA SORTIE!

Il n'avait pas voulu ça. *J'ai eu la peau de l'ours*, songea-t-il. Non, à aucun moment il n'avait souhaité ça. Mais, au fond, ça ne lui faisait ni chaud ni froid.

Le personnel du parc affluait pour dégager la piste au plus vite. Certains passagers étaient restés coincés dans leur soucoupe en des postures fort inconfortables. Par chance, personne n'avait été surpris par la mise à l'arrêt du circuit au sommet de la grande boucle, la tête en bas.

Conway avait vu Scott, Fay et Brian pénétrer dans le pavillon des hologrammes. Il préféra rester en retrait et continuer de surveiller les deux ours rescapés. Ceux-ci avaient hésité avant de se lancer à la poursuite du trio. Mais il ne faisait aucun doute à présent qu'ils allaient entrer à leur tour dans le pavillon.

Conway supposa que Dale n'avait pas choisi ce refuge par hasard. Il devait connaître l'endroit comme sa poche et pouvoir y semer n'importe qui. Mieux valait demeurer à l'extérieur et se poster près de la sortie.

Derrière lui, les soucoupes recommencèrent de glisser le long des Montagnes magnétiques, mais au ralenti et dans un silence de mort.

– Surtout, ne me quittez pas, leur avait dit Scott avant de les entraîner dans la grande salle des hologrammes. Accrochez-vous à moi et ne vous éloignez en aucun cas.

C'était une vaste pièce aveugle, beaucoup plus longue que large, et lambrissée de bois sombre. Près du plafond, comme des yeux indiscrets, deux rangées de trente-huit caméras mobiles espionnaient les visiteurs : sensibles aux infrarouges, elles se guidaient sur la chaleur émise par les corps et suivaient avec précision chacun de leurs mouvements. Les images étaient transmises à l'impressionnante machinerie située sous le toit du bâtiment, laquelle analysait les informations reçues, les reconstituait et les reprojetait dans le pavillon à de multiples exemplaires en lumière laser, jouant ainsi le rôle d'une batterie de miroirs en trois dimensions. Ainsi, celui qui pénétrait dans le pavillon se voyait soudain entouré par une armée de doubles, de reflets holographiques de lui-même qui l'imitaient à la perfection... en trois dimensions.

Brian oublia sur-le-champ l'épouvantable accident qui venait de se produire. Il tendit les bras pour attraper les Franklin qui se promenaient autour de lui : tous tendirent les bras. Il bondit et ils bondirent. Il s'accroupit et ils s'accroupirent. Mais où était Fay ? Où était Scott ? Il y avait une dizaine de lapines gris perle aux longues oreilles, qui tenaient par la main une dizaine de jeunes Californiens bronzés.

– Brian ! Reste ici. Brian, nous sommes là.

Là ? Il tâtonna, ayant l'impression de s'empêtrer dans ses propres reflets. Cinq fois, il crut les avoir trouvés, mais il n'embrassa que du vide. Quelle curieuse expérience c'était de voir les gens se dissoudre contre vous ! Enfin, il se heurta à une épaule bien solide et trébucha.

– Écoute-moi, Brian. J'ai demandé qu'on fasse venir quelques gars de l'équipe de sécurité de Futureland. Des costauds. Ils nous escorteront jusqu'à la sortie du parc. En attendant, nous devons absolument rester ensemble. S'ils se décident à entrer ici, nos deux ours ne sauront plus où ils en sont. Ça nous laissera quelques minutes de répit. Mais pas d'escapade. D'accord ?

– D'accord, Scott.

La nouvelle de l'accident s'était propagée rapidement et le pavillon s'était en grande partie vidé. Mais ceux qu'une curiosité morbide n'avait pas attirés près de la piste sanglante suffisaient à donner l'illusion d'une foule grouillante. Scott expliqua à Brian que moins nombreux étaient les visiteurs, plus nombreuse était leur escorte de jumeaux.

– Est-ce que nous ne pouvons pas nous débarrasser de ces peaux de bête ridicules? gémit Fay.

– Ce n'est peut-être pas le moment d'entamer une séance de déshabillage, répondit Scott. Regardez ça!

– Les ours! cria Brian.

C'était une véritable horde. Les caméras semblaient n'avoir d'yeux que pour eux. Ils avançaient à plus de vingt, formant un groupe de silhouettes nettes et précises au centre, plus floues, moins bien dessinées, parfois bizarrement déformées, sur les flancs. Puis, comme ils se mêlaient aux visiteurs, ce bataillon parfaitement ordonné se mit à participer à la confusion générale. Il y avait maintenant des ours partout, ce qui fit la joie de tous les enfants présents. Les appels faussement terrifiés reprirent :

– Les ours!

– Attention, les ours!

– Franklin! Franklin!

– Gaffe, Franklin!

– Tire-toi! Les ours!

Ils voulaient le protéger. Des dizaines d'enfants, des centaines... Il essaya d'écarter de ses grosses pattes tigrées les hologrammes qui se pressaient autour de lui, frappa dans le vide comme un boxeur face à son ombre, les supplia mentalement de ne plus crier son nom. Soudain, il heurta un petit corps de chair et d'os, trébucha, se retrouva à quatre pattes.

– Brian!

Il se releva, chercha Scott. Où était Scott? Qui était Scott? Toutes les mains qu'il tentait d'attraper se dérobaient, fondaient comme des mirages entre ses griffes.

– Brian!

Les ours le cernaient. Une phrase insensée se mit à tournoyer dans sa tête. *L'homme qui a vu l'ours qui a vu l'ours qui a vu l'ours qui a vu l'ours...* La horde le cherchait, brassant l'air comme dans une partie de colin-maillard. A tout moment, il s'attendait à sentir l'étreinte des grosses pattes se refermant sur lui. C'était absurde... Scott et Fay paraissaient submergés par le nombre.

Il y eut un cri. L'un des ours et Scott avaient fusionné. Brian les sentait qui luttaient non loin de lui, mais il avait l'impression de voir évoluer sur une piste de danse un ballet à la Holiday on Ice, l'homme s'accrochant ridiculement aux poils de la bête. Puis il ne vit plus que Fay, dix fois reproduite, dix fois terrifiée; la bouche de Fay, grande ouverte, qui appelait à l'aide.

Brian aperçut, là-bas, au fond de la salle, la petite lumière rouge qui indiquait la sortie et, sans réfléchir, se mit à courir. Il aurait donné cher pour se débarrasser de tous ces Franklin gesticulant. Et plus cher encore pour ne pas voir arriver la masse hirsute et brune qui se précipitait à sa poursuite (à leur poursuite?) les bras en avant.

Il courait... Oui, il le savait, il courait à sa perte. A l'intérieur du pavillon, il avait une petite chance de s'en tirer, à condition que les costauds de la sécurité promis par Scott ne traînent pas trop. Mais, dehors, l'ours ne ferait qu'une bouchée de lui. Il traversa des images tremblotantes, s'enfonça dans des fantômes stupéfaits, frôla des corps bien réels, buta contre un pied et se retrouva par terre; il se releva et repartit de plus belle.

Il y eut un choc.

Brian vit rouler sur le sol une demi-douzaine d'ours et une demi-douzaine de grands Noirs aux cheveux teints en blond. Sans doute que le type avait vu le film et qu'il était très remonté contre Harry, Larry et Sonny. En tout cas, il n'avait pas l'air d'apprécier du tout. Brian ne s'arrêta pas pour l'écouter brailler, mais le remercia du fond du cœur et en profita pour filer.

Retrouver la lumière du soleil lui fit un bien fou. Il continua de courir sans se retourner pendant quelques centaines de mètres puis alla s'appuyer en haletant contre un point pamplemousse. Ça y est, songea-t-il, les

171

gosses vont recommencer à me suivre. Il fallait absolument qu'il se débarrasse de ce déguisement. D'ailleurs, il ne pouvait plus le supporter. Il crevait de chaleur et de soif.

Brian se dépouilla de sa peau de chat dans les toilettes d'un restaurant qui servait des plats exotiques sur une immense terrasse. La sensation de légèreté qu'il éprouva lui donna envie de gambader. Que faire à présent? Essayer de guetter si l'équipe de sécurité arrivait enfin?

Son cœur fit un bond. Les trois ours l'observaient. Trois? Non, c'était impossible, il n'en restait plus que deux. Et ceux-là, d'où sortaient-ils? Était-ce donc le nouvel uniforme du KGB? Il ne parvenait pas à y croire. Pourtant, rien n'aurait pu le convaincre de traîner plus longtemps dans les parages. Il s'éloigna rapidement, jetant tous les dix mètres un coup d'œil par-dessus son épaule pour s'assurer que les ours ne le suivaient pas.

Il se perdit. De toute façon, il n'avait pas vraiment choisi d'aller quelque part. Il traversait maintenant des secteurs qu'il n'avait pas visités en compagnie de Fay. Il ne se décidait pas à aborder quelqu'un, un préposé, un badaud sympathique, pour se placer sous sa protection. Il ne pouvait plus croiser un étranger sans lui prêter des intentions homicides.

Sortir. Sortir du parc. Seul cela lui importait. Il se mit à suivre les flèches vertes qui orientaient le public vers les issues. Si seulement il réussissait à retrouver le gardien qui avait contrôlé la camionnette lorsqu'ils étaient arrivés à Futureland, un ou deux siècles plus tôt dans l'après-midi. Celui-là, il le reconnaîtrait. Il lui ferait confiance.

Fay!

Fay était là, devant lui, près du kiosque où jouait un orchestre d'automates, et Brian remarqua pour la première fois combien le costume de lapine préhistorique était trop grand pour elle. Réprimant les larmes de soulagement qui lui montaient aux yeux, il fonça dans sa direction et se jeta dans ses bras. Elle le repoussa sans ménagement.

– Hé! mais il a pas fini de me peloter, cet excité? Faut pas croire tout ce qu'on raconte sur les lapins, mon gars.

Une voix d'homme, grasse et vulgaire.

Bon sang, que ce type devait être *petit*! Brian s'écarta en marmonnant des excuses consternées.

Enfin, la sortie fut en vue. Mais il allait déboucher dans les parkings, ce qui ne l'enchantait pas particulièrement. Une marée de voitures brillait sous le soleil. A bout de nerfs, il résolut de remettre son destin entre les mains du premier gardien qu'il rencontrerait.

Une main se posa sur son épaule.

– Brian Stein?

– Qu'est-ce que...

– Viens, mon garçon. Ma voiture est là, tout près. Assez d'aventures pour aujourd'hui.

Brian n'eut pas la force de résister. Il obéit docilement et monta sur le siège vers lequel le poussait une poigne ferme. Il avait échappé aux ours mais n'était pas encore sûr d'avoir échappé au pire.

– Tu sais que ta mère s'inquiète drôlement, lui dit le flic.

– Où est-ce que vous m'emmenez?

– Je crois que nous avons bien besoin d'un peu de repos, tous les deux, répondit Conway. J'ai l'impression de porter une paire de sabots.

Chapitre 8

– Étrangle-moi, si ça peut te soulager, dit Fay.

Scott détourna les yeux, conscient que la façon dont il la regardait devait lui être insupportable.

L'équipe de sécurité était arrivée quinze secondes trop tard. Immédiatement, pour y voir plus clair, les gars avaient ordonné l'interruption des générateurs laser de duplication holographique. Leur intervention avait mis les ours en fuite. Mais Brian avait été le premier à disparaître et, jusqu'à présent, personne ne s'était montré capable de le repérer.

– Élargissez, dit une voix auprès d'eux. Encore, encore...

Brian, en enfilant le déguisement de Franklin avait dû prendre le badge qui y était attaché. Il l'avait placé autour de son cou sur le conseil de Fay. Tous leurs espoirs reposaient maintenant sur les techniciens du centre de contrôle. Devant l'insuccès de leurs premières tentatives, ils avaient mis en œuvre tous les moyens dont ils diposaient.

– Ce n'est pas possible! s'exclama Scott. Il a dû le perdre, le flanquer à l'eau...

– Ça y est, monsieur Dale, nous l'avons, annonça la même voix, toujours très calme. Mais en dehors du parc.

– Oh!

Scott s'attendit que Fay tourne de l'œil et lui tombe dans les bras.

– Où, en dehors? demanda-t-il.

– Signal en mouvement, monsieur Dale. Assez rapide. C'est pour cela qu'il nous échappait.

– Une voiture?

– Probablement.

– Bon Dieu! Combien de temps allez-vous pouvoir continuer à le suivre?

– Je l'ignore, monsieur Dale. Plus très longtemps, je pense. Maintenant que je le tiens, c'est plus facile.

Scott s'adressa à un autre technicien :

– Branchez-moi sur Vidpa. Audio simple. Alerte à tout le réseau.

Le jeune homme s'activa, composant des numéros d'appel, enfonçant touche après touche. Puis il patienta pendant deux ou trois minutes tandis que Scott se dévorait le poing à côté de lui.

– Combien de réponses?

– Treize, monsieur Dale.

Treize des membres de SiliCOM se trouvaient à proximité de leur système Vidpa et avaient indiqué qu'ils étaient prêts à recevoir le message de Scott.

– Qu'as-tu l'intention de faire? lui demanda Fay d'une voix fêlée par l'inquiétude.

– Nous n'avons pas le choix. Il faut y aller. Tu as toujours été persuadée que je rêvais de jouer les cow-boys, non?

– Tu ne vas pas prendre d'assaut une ambassade soviétique?

– C'est exactement pour ça qu'il faut foncer. Le récupérer absolument avant qu'il ne soit à l'abri quelque part où nous ne pourrons jamais...

Le technicien l'interrompit :

– Le véhicule semble s'être arrêté. A peu près là. Ou plutôt... voilà.

176

Il désigna un point précis et traça une toute petite croix sur la carte d'état-major étalée devant lui.

– Qu'est-ce que c'est? demanda Fay.

– Aucune idée, dit Scott. Ça semble être à la sortie d'un petit bled. Rien de spécial.

– J'essaie de me renseigner, dit le technicien.

Et le second, qui se débattait avec ses écrans de contrôle, annonça enfin :

– Vous pouvez parler, monsieur Dale.

Scott s'exprima brièvement, insistant sur l'urgence de la situation sans la décrire de manière très détaillée. Il proclamait la mobilisation générale. Brian était en danger. Le lieu où il se trouvait était en voie de localisation. Que tous ceux qui le pouvaient se rendent sur place. Scott se chargeait de les y guider. Réponse immédiate nécessaire.

– Huit messages d'accord, dit le jeune informaticien en lui tendant la feuille sortie de l'imprimante avec la liste des noms.

Fuller, O'Neill, Smith, Dogson, Philips, Huong-Ho, Iakimidis, Pahualac...

L'autre technicien était suspendu à son téléphone.

– Nous y sommes, monsieur Dale! s'exclama-t-il. En principe, il s'agit d'un motel. Il n'y a rien d'autre dans un rayon de trois cents mètres. Alfa Motel.

– Prévenez tout le monde! Tous ceux qui sont sur la liste. Rendez-vous... là. C'est bien un parking?

– Un garage, je pense, monsieur Dale.

– Ça ira. Rendez-vous au garage.

Près de lui, Fay secouait la tête d'un air désespéré.

Brian avait l'impression d'avoir échappé aux ours... pour tomber entre les griffes d'un ours. Il regrettait presque d'avoir abandonné son costume. Après tout, Franklin, lui, réussissait toujours à s'en tirer, non?

Le flic l'avait fait monter dans une petite chambre,

au premier étage d'un motel. Par la fenêtre, il voyait clignoter les lettres bleues de l'enseigne verticale : ALFA MOTEL.

— J'espère que je ne vais pas avoir affaire à un ingrat, n'est-ce pas? dit Conway en s'asseyant sur le lit.

Brian serra les dents sans répondre, luttant pour se forger une mentalité de héros. Il s'assit sur une chaise en osier, comme Conway le lui avait suggéré d'un geste. Le flic faisait ployer sous sa masse le matelas du lit.

— Tu ne verras rien par cette fenêtre. Nous n'attendons personne. Un Coca?

Brian sentit s'effriter son inébranlable volonté. Ça faisait trop longtemps qu'il rêvait d'une boisson fraîche. Le flic alla chercher trois boîtes dans le petit réfrigérateur.

— Sans moi, reprit Conway, tu serais peut-être mort à l'heure qu'il est.

Brian s'étrangla dans ses bulles de Coca. Puis, se reprenant, il haussa les épaules avec mépris. Le flic changea de tactique.

— Tu l'aimais bien, Voronine? Et alors, tu ne voudrais pas qu'on arrête ceux qui l'ont assassiné?

— Vous n'avez pas le droit de me séquestrer ici, dit Brian.

— Je désirais juste avoir une conversation avec toi. Je suis sûr que nous allons finir par nous comprendre. Tu vois, arrêter les assassins, c'est précisément mon métier. Tu le sais, non? Tu as vu ma plaque de police tout à l'heure.

Il penchait la tête, en grattant son affreuse petite oreille. Brian laissa échapper un grognement qui ne l'engageait à rien.

— Bien, reprit Conway comme si un grand pas venait d'être franchi. Figure-toi que j'ai besoin de ton aide. Je suis convaincu qu'à nous deux nous allons réussir à mettre ces individus hors d'état de nuire.

Brian ricana.

– Attends, je vais te proposer quelque chose. Si tu ne veux pas parler, fais-moi simplement un signe de la tête. Oui ou non. D'accord? Bon. Sais-tu qui a tué Voronine?

Moue dubitative.

– Pas leur identité. Qui ils sont. A quelle organisation ils appartiennent...

Affirmatif.

– Et ces ours qui te poursuivaient dans le parc?

Gorgée de Coca. Grimace boudeuse. Affirmatif.

– Parfait, parfait. Nous progressons.

– Et... sais-tu ce qu'ils cherchent?

Regard vague en direction de la fenêtre.

– Tiens, prenons les choses autrement. Imaginons le pire. Imaginons qu'ils soient parvenus à te rattraper et qu'ils se trouvent en face de toi en ce moment. A ma place. Quelle question te poseraient-ils, à ton avis?

– Ils me demanderaient ce que cherche ce flic qui me court tout le temps après.

– Excellent. Tu as de la repartie, c'est bien, dit Conway sans se dérider. Mais je crains que nous ne soyons en train de perdre un temps précieux. Qu'est-ce que c'est, cette histoire de Cosmos?

Brian sursauta.

– Ah! je crois que nous brûlons. Dis-moi, tu n'as pas l'intention de retourner chez ta mère?

– Je suis bien où je suis.

– Qui va s'occuper de toi quand Scott Dale sera en prison?

– Il n'a rien fait.

Conway prit un air chagriné.

– C'est cette vilaine affaire de Boston. Je dois dire que ça me préoccupe. Si jamais on découvre que ton ami Scott est mêlé à ça... Il y a eu un mort, tu comprends. Et voilà qu'à présent il se produit un affreux accident en plein cœur de Futureland. Un étranger, très probablement. Je ne te cache pas que Scott Dale se trouve dans une situation fâcheuse.

179

– Relâchez-moi.

– Ton Coca est terminé. Tiens, prends-en un autre. Quand part la Navette, déjà?

– Si vous savez tout, ce n'est pas la peine de m'interroger.

Un sourire triomphant éclaira le morne visage d'Albert Conway.

– Ah! ah! tu t'es trahi. Tout cela est lié, n'est-ce pas? Mais j'ai décidé de jouer franc jeu avec toi. Très honnêtement, j'ignore quel est ce lien. J'ignore ce que vous cherchez tous. J'ignore pourquoi Voronine est mort, et ce Frank Wallop, et ce type dans le parc et d'autres. Tu vois, je ne te mens pas. Alors, à toi de me dire ce que tu sais, maintenant.

Silence. Brian regardait le bout de ses baskets, arrachant de petits claquements à la boîte de Coca qu'il pressait entre ses doigts sans même s'en rendre compte.

Le flic se leva brusquement.

– Écoute, mon garçon. J'avoue ne pas connaître grand-chose à ces questions de satellites, d'ordinateurs, etc., mais je sais au moins ceci : si cette affaire concerne le lancement de Discovery, elle touche à l'intérêt supérieur de la nation. Comprends-tu ce que cela signifie?

Conway avait progressivement haussé le ton. Si progressivement que Brian fut surpris de l'entendre hurler :

– Et trahir son pays, est-ce que tu comprends ce que ça signifie?

Il empoigna Brian par le col et l'arracha à sa chaise. La boîte de Coca roula par terre, achevant de se vider à petits traits mousseux.

– C'est comme ça qu'il a bâti sa fortune, hein, ton ami Scott? En vendant des informations aux Russes? Tu sais ce qu'il leur arrive, aux petits espions dans votre genre? Ils finissent avec du fil électrique rouge autour du cou.

Brian se sentit devenir cramoisi. La poigne du flic lui

bloquait la respiration. D'une poussée, Conway l'envoya à plat ventre sur le lit.

– Nous ne sommes pas des espions, grogna Brian dans le couvre-lit, et si vous nous empêchez de...

– Oui? De quoi? Continue, je suis sûr que tu allais dire quelque chose d'intéressant.

Il retourna Brian comme une crêpe et se pencha au-dessus de lui, les genoux appuyés contre le bord du matelas.

– Je te donne dix minutes. J'ai été gentil jusqu'à maintenant parce que tu n'es qu'un gamin, mais je commence à croire que j'ai eu tort. Si dans dix minutes tu ne t'es pas décidé à répondre bien sagement à mes questions, tu vas apprendre à tes dépens ce que c'est qu'un sale flic.

Scott n'avait pas desserré les dents au cours du trajet. Il était furieux après elle et voulait que ça se voie. Pourtant, Fay percevait la jubilation qui le faisait vibrer tandis qu'il conduisait à toute allure en direction de l'Alfa Motel. Les petits combats en vidéo ne lui suffisaient plus. La vraie bagarre lui manquait. Fay savait qu'il avait regretté de ne pas pouvoir organiser lui-même l'opération de Boston, et qu'il le regrettait encore : Scott était persuadé qu'il aurait réussi là où Rossetti avait échoué. Scott aurait voulu être dans la Navette à la place de Clyde, sur les Montagnes magnétiques face aux ours, partout où les événements faisaient battre le cœur un peu plus vite.

– Tu n'aurais pas dû avertir Smith, dit-elle.

– Pourquoi?

– C'est un excité. Il est pire que toi.

– Qu'est-ce que ça signifie : pire que moi?

Fay appuya sur l'allume-cigare, secouant de l'autre main son paquet de Camel.

– Qu'allons-nous trouver dans ce motel, à ton avis? demanda-t-elle.

— Brian.

— Et à part lui?

— Brian qui est peut-être en danger de mort à cause de tes conneries.

— S'il te plaît, Scott. A part Brian?

— Je ne sais pas.

Fay ne tira que trois ou quatre bouffées de sa cigarette avant de l'écraser dans le cendrier qui prolongeait l'accoudoir.

— Est-ce qu'il ne serait pas temps de renoncer à jouer aux justiciers? dit-elle. Nous ne possédons plus aucun atout. Nous sommes partis bravement sauver Discovery et la paix du monde...

— Tais-toi.

— Et nous voilà en train d'essayer de récupérer l'un des nôtres. Et la fusée va sauter, John va monter dans cet engin en sachant qu'il y sera déchiqueté... et il sera déchiqueté... et au bout du compte, Scott, *nous n'aurons rien fait pour empêcher que cela se produise.*

— Tais-toi!

Ils approchaient du point de rendez-vous. Scott posa sa main sur la cuisse de Fay.

— Aide-moi, dit-il. Ne te bats pas contre moi maintenant. Nous allons gagner, Fay, nous n'avons pas le droit de perdre.

Smith, Dogson et Iakimidis les attendaient sur le parking, près du garage. Quelques instants plus tard, ils virent arriver les quatre hommes qui gardaient jour et nuit la maison de Palo Alto, puis la voiture de Pahualac.

— Tant pis pour les autres, décida Dale. Allons-y! Fay, je préférerais...

— Non!

— Reste, Fay...

— Non!

— Il faut que quelqu'un guide Fuller, Huong et...

— Non!

182

Scott s'inclina. Il prit la tête du petit groupe, marchant au côté de Smith. Il sentait les autres inquiets, mal à l'aise. Même les quatre vigiles professionnels semblaient un peu nerveux. Mais pas Smith. Avec sa casquette kaki, son maillot de corps blanc moulant sa poitrine luisante, ses énormes chaussures montantes et sa moustache en brosse, il avait l'air d'un mercenaire. Scott aurait juré qu'il était armé. Fay avait raison. Il n'aurait jamais dû lui dire de venir.

Ils s'immobilisèrent au bas de la côte qui menait à l'Alfa Motel.

– Je vais aller jeter un coup d'œil tout seul, annonça Scott. Essayer d'interroger discrètement quelqu'un à la réception.

Smith accueillit la proposition par un grognement hargneux. Il semblait déjà disposé à donner l'assaut. Dale ne se sentait pas très bien dans sa peau de chef de commando.

– Qu'est-ce que tu crois? demanda-t-il à Smith. Que c'est le quartier général de la section californienne du KGB?

– Je crois que c'est un motel, dit Smith. Et qu'on récupérera le gamin si on tire les premiers.

Scott se tourna vers les autres. Ils semblaient hésitants, pas terriblement ravis de se trouver là.

– J'y vais, décida Fay. Une femme éveillera moins la méfiance, n'est-ce pas?

Scott tenta de retenir Fay, mais Smith l'attrapa par le coude.

– Laisse-la. Dans ces cas-là, il faut toujours envoyer une jolie fille.

Conway avait tenu parole. Il avait donné dix minutes à Brian et, pendant dix minutes, il était resté assis sur le bord du lit, une expression parfaitement neutre sur le visage. De temps en temps, il regardait son énorme chronomètre en or.

Malgré la peur qu'il éprouvait, Brian avait hâte de voir s'achever son délai de grâce. Cette attente était pire que les cris et les coups qu'il s'apprêtait à subir.

— J'écoute, dit soudain le flic.

Il tendait vers Brian sa bonne oreille, penchant la tête à la façon d'un confesseur. Brian s'était réfugié à l'autre bout du lit, les jambes croisées, les fesses sur le traversin. Il déplorait à présent son manque d'initiative et d'imagination. Que n'avait-il inventé n'importe quoi au lieu de se murer dans son silence buté? Mais ce flic n'avait pas l'air d'un type qu'on pouvait mener facilement en bateau.

— Tu sais qui m'a fait ça? demanda Conway en désignant de l'index son oreille atrophiée. Mon père, un jour que je refusais de répondre à ses questions.

Brian haussa les épaules pour indiquer qu'il n'en croyait rien, mais il ne s'en sentit pas moins saisi par l'étreinte glaciale de la panique. Le flic était en train de se lever, tranquillement, avec une lenteur délibérée. Dans sa terreur, Brian n'avait plus de la chambre qu'une vision un peu brumeuse au sein de laquelle se découpait, presque scintillante, une porte jaune. La sortie. La fuite. Il ouvrit la bouche, bredouilla deux ou trois mots, feignit de rassembler ses idées avant de consentir enfin à parler.

— Vous me promettez de ne pas faire d'ennuis à Scott? dit-il en posant les pieds sur le plancher.

— Je n'ai rien contre lui, je t'assure.

Brian avança d'un pas. Deux pas. Il longea la fenêtre. Conway n'avait pas bougé. Alors, il bondit, se ruant sur la porte qu'il ouvrit à la volée. Il vécut une seconde de totale confusion. Dans le même instant, il comprit le peu d'empressement avec lequel Conway réagissait, découvrit qu'il s'était trompé de façon ridicule, entra dans le cabinet de toilette et...

— Arrête ça tout de suite!

Il avait fermé la porte et machinalement poussé le

verrou. Bien sûr, il savait que ce manège ne pouvait le conduire à rien; bien sûr, il entendait les menaces que proférait le flic en fureur... mais, tout à coup, il se moquait de tout ça. Son œil avait happé au passage une image, une seule image, lorsqu'il s'était glissé devant la fenêtre... comme un instantané que son cerveau aurait mis un petit moment de trop à développer. En bas, près de la maigre haie qui délimitait le parking du motel, Fay.

Il l'appela de toute la force de sa volonté, serrant les dents pour ne pas crier son nom. Fay!

Une fille ravissante de type mexicain lisait une revue de mode derrière le bureau de la réception. Les rayons de soleil rasants qui entraient par la baie vitrée faisaient luire les immenses anneaux dorés qui pendaient à ses oreilles. Elle redressa instinctivement le buste pour faire saillir sa poitrine sous la robe chamarrée qui lui dénudait à demi les épaules. Elle prit son temps pour lever les yeux et parut un peu surprise, comme si elle était habituée à n'accueillir que des hommes.

Fay s'approcha et, s'accoudant au bureau, chuchota :

– Mademoiselle, j'ai besoin de votre collaboration.

– Le patron n'accepte que les couples mariés, dit la fille.

– Non, non, je...

– Mais on peut s'arranger.

– Écoutez-moi, bon sang... Je ne veux pas de chambre. Je cherche un enfant.

La jolie Mexicaine fronça le nez d'un air moqueur.

– Je n'ai que des chambres, dit-elle.

– Mademoiselle, il s'agit d'une affaire grave. D'un enlèvement.

– Je ne veux pas d'ennuis.

La fille avait cessé de regarder Fay. Ses yeux s'étrécirent derrière le balaiement de ses longs cils.

– Débrouillez-vous, décida-t-elle en levant ostensiblement la revue devant son visage.

Fay se retourna. Conway se tenait au pied de l'escalier, une main sur le globe de porcelaine qui achevait la rampe.

– Vous n'imaginez pas comme je suis heureuse de vous voir, dit-elle.

– Vous me flattez.

Ils entrèrent dans un petit salon où se trouvaient quelques sièges et un poste de télévision.

– Que pensiez-vous, mademoiselle...

– Douglas.

– Que pensiez-vous, mademoiselle Douglas, que les Russes l'avaient capturé?

– Oui.

– Ça aurait pu arriver. Vous vous êtes montrés très imprudents, vous et votre ami Dale.

– Où est-il?

– Brian? Là-haut. Il fait un brin de toilette, j'imagine.

– Rendez-le-nous.

Conway secoua la tête pour lui faire comprendre qu'il l'aurait souhaité mais que c'était impossible.

– Que désirez-vous, monsieur Conway?

– La même chose que vous. Mais avant vous.

– C'est-à-dire?

– Je n'en sais rien. Pouvez-vous me le dire? C'est lassant, à la fin, de courir après quelque chose sans savoir ce qu'on cherche.

– Désolée. Je ne suis pas venue marchander. Juste récupérer Brian.

– Non, mademoiselle Douglas, c'est moi qui regrette.

– Vous faites fausse route. Brian n'est au courant de rien.

– Épargnez-moi vos mensonges.

Fay sentit la colère la gagner.

186

– Très bien! cria-t-elle. Vous l'aurez voulu.

Elle quitta le motel d'un pas rageur.

Scott et les autres s'étaient approchés aussi près que possible, tout en demeurant hors de vue. Fay les informa rapidement de la situation.

– Allons-y tous, proposa Dale. Il reculera devant le nombre.

– C'est un flic, Scott, protesta Fay. Il faut essayer de négocier.

– Nous n'avons rien à lui vendre. C'est bien ce que tu lui as déjà dit, non?

– Essaie, Scott. Toi tout seul. Oh, très bien...

Rien ne les arrêterait. Ils avaient trop craint de tomber sur un adversaire autrement redoutable pour ne pas se sentir à présent pleins d'assurance.

La réceptionniste regarda entrer avec stupeur tous ces hommes qui avançaient en frappant du talon. Apercevant Fay, elle lança :

– Chambre 12. Les couples mariés uniquement.

Ils montèrent l'escalier sans souci de discrétion. La porte de la 12 était grande ouverte, presque en face du palier. Fay, qui était restée en retrait, vit soudain Dogson et Philips se jeter sur Smith. Ce qu'elle avait redouté depuis le début venait de se produire. L'abruti avait sorti une arme de sa poche. Smith hurlait qu'il allait faire la peau à ce salaud.

Une voix puissante retentit dans la chambre 12.

– C'est de moi que vous parlez?

Puis Fay entendit les appels désespérés de Brian.

Scott entra, ordonnant aux autres de rester où ils étaient.

– Conway! Ça suffit, à présent. Rendez-nous Brian. Ce que vous faites là est parfaitement illégal.

Le flic regardait par la fenêtre, feignant la plus parfaite indifférence.

– Êtes-vous tous là ou attendez-vous encore quelqu'un? demanda-t-il.

Puis il dévisagea Dale.

– Je suis heureux que vous placiez cela sur le terrain de la légalité. J'aurai quelques remarques à faire à ce sujet.

Scott puisa en lui ses dernières réserves de calme.

– Écoutez, Conway, cet affrontement est absurde.

Le flic semblait chercher Smith des yeux, dans l'ombre du palier. Sans inquiétude. Avec curiosité.

– Désirez-vous que je vous dresse un état de votre situation personnelle, monsieur Dale? Dois-je vous rappeler que vous restez le principal suspect dans l'affaire Voronine?

– Scott! Scott! Je n'ai rien dit! hurla brusquement Brian depuis le cabinet de toilette.

– Ah! je pourrais vous inculper aussi de détournement de mineur. Quand la mère saura dans quoi vous avez entraîné cet enfant... Vous avez abusé cette pauvre Mme Stein de façon honteuse, monsieur Dale. Puis il y a cette histoire plutôt trouble de Boston. Un mort, un de vos employés.

Il sortit un mouchoir et essuya méticuleusement ses tempes moites avant de poursuivre :

– Mais je me demande si la mesure qui s'impose par son urgence n'est pas la fermeture de Futureland. Le tragique accident de cet après-midi semble indiquer que la sécurité n'y est pas assurée. Il est inadmissible que la vie de milliers de jeunes Américains soit ainsi livrée à vos attractions démentielles. Vous voyez, Dale, je vous tiens par tous les bouts.

– J'ai gagné tous mes procès contre IBM, répondit Scott. Les meilleurs avocats des États-Unis travaillent pour moi. Tentez votre chance, si ça vous dit.

– IBM n'intente jamais de procès au FBI, monsieur Dale. Il y a des limites à tout.

Il jeta un coup d'œil vers le petit groupe massé devant la porte de la chambre et répéta :

– A tout. Je n'oublierai pas l'hospitalité californien-

188

ne, messieurs. Et je ferai en sorte que vous vous souveniez de moi également. Je vous ferai ravaler vos airs supérieurs et vos saloperies de millions de dollars. Je vous mettrai dans un endroit où on soigne le bronzage. Tu peux sortir, Brian, ces messieurs ne vont pas s'attarder !

Quand le gamin passa devant lui, les yeux baissés, il lui dit :

– Je regrette que tu aies choisi ces héros-là. Je suis sûr que tu méritais mieux.

A l'adresse de Scott, il ajouta :

– Nous nous reverrons à la fin du mois, monsieur Dale. Le 26, très vraisemblablement. Vous fermerez la porte en partant, si cela ne vous dérange pas.

Brian supportait mal la tension qui régnait entre Fay et Scott. Aussi vit-il surgir avec soulagement la grande maison de Palo Alto.

Il était conscient que ce que Scott persistait à appeler sa fugue n'avait fait qu'ajouter aux difficultés d'une situation que chaque nouveau jour rendait plus critique. Mais, à son grand désespoir, il n'avait plus l'impression de pouvoir être autre chose qu'un poids mort dans la lutte que SiliCOM avait entreprise. Il en savait trop peu pour apporter à ses amis une aide décisive et trop pour ne pas constituer un facteur de risque supplémentaire.

Or, les propos plutôt vifs qu'avaient échangés Fay et Scott dans la voiture trahissaient bien l'état de désarroi dans lequel tous deux se trouvaient. Leurs humeurs mesquines ne survécurent pas au choc qui suivit l'arrivée à Palo Alto.

La maison avait été mise à sac. Ils découvrirent Janet en train de combattre bravement un début d'incendie. La vieille secrétaire, qui s'était absentée pendant la majeure partie de l'après-midi, n'avait pu que constater les dégâts en arrivant.

Les quatre hommes, qui, exceptionnellement, avaient abandonné la propriété dont ils avaient la garde pour accompagner Scott jusqu'au motel, éteignirent rapidement les petites flammes qui dévoraient les monceaux de papiers répandus sur le sol.

— Des choses pareilles ne se produiraient pas si vous ne jetiez pas vos cigarettes tout allumées dans la corbeille, Janet, dit Scott en ramassant quelques dossiers noircis.

La vieille femme prit un air scandalisé.

Une glace avait été brisée. Des montagnes de disquettes gisaient par terre. Une partie du jardin en serre avait été saccagée. Plus un tiroir n'était à sa place. La chambre de Brian ressemblait à un champ de bataille. Pourtant, rien de tout cela ne semblait plus de nature à affecter Dale. Il plaisantait, donnait des coups de pied dans les piles qui tenaient encore debout, s'acharnait sur la pauvre Janet.

— Il a suffi que vous vous montriez pour qu'ils décampent, en somme. Vous n'avez jamais su retenir les hommes.

— Arrête, Scott! lui cria Fay. Regarde plutôt ça.

Un fil électrique rouge avait été noué autour de l'écran d'un de ses ordinateurs. Comme une signature. Ou une menace?

Ils allèrent s'asseoir sur un coin de banquette, observant avec fascination les cendres minuscules qui n'en finissaient pas de descendre devant leurs yeux.

— Tu te rends compte? souffla Fay. Ils surveillent chacun de nos gestes. Ils m'ont vue partir avec Brian à Futureland. Ils ont su que les gardiens avaient quitté la propriété.

Ils restèrent serrés l'un contre l'autre pendant une dizaine de minutes, silencieux. Janet les avait quittés, les laissant seuls sans qu'ils s'en aperçoivent.

— Pourquoi le 26? se demanda soudain Scott à haute voix. Pourquoi Conway a-t-il dit que nous nous reverrions probablement le 26?

190

– Je suppose qu'il a l'intention de te convoquer quelque part, répondit Fay d'un ton qu'elle ne parvenait pas à rendre insouciant. Des ennuis, encore des ennuis.

Scott repoussa l'hypothèse de quelques clappements de langue.

– Il y a autre chose... Le 26. Moins d'une semaine avant le départ de la Navette. Il sera déjà presque trop tard.

Le silence retomba sur eux comme une chape qui les isolait du monde, les enfermant avec leurs préoccupations. L'obscurité grignotait peu à peu la grande pièce chamboulée.

– Où est Brian ? s'étonna tout à coup Fay, alarmée.

– Parti.

– Quoi ?

– Il passe la nuit chez Janet. Sa chambre n'est plus qu'un tas de ruines. Il ne pouvait pas rester là.

– Mais...

– J'ai envoyé Dukham et Fletcher avec eux. Ne t'en fais pas. Brian sera mieux gardé que Fort Knox.

– Tu aurais pu me prévenir.

– Excuse-moi. Je craignais que tu ne sois pas d'accord.

Fay sourit.

– Mais si. Tu sais, il nous arrive parfois d'être d'accord, malgré tout.

Elle croisa les bras et, d'un mouvement rapide, ôta son chandail.

– J'ai envie de faire quelque chose d'idiot, annonça-t-elle.

Elle se leva pour faire glisser son pantalon. Quand elle fut complètement nue, elle avança de deux ou trois pas avant de s'accroupir dans un rayon de lune. Elle posa les mains par terre puis essuya ses doigts noircis sur son ventre. Elle s'allongea, se roula sur le sol. Scott vint près d'elle et l'embrassa. Ses lèvres avaient un goût de cendre.

— Ça faisait longtemps que je n'avais rien fait d'aussi idiot, dit Fay. Tu vas te salir.

— Tant pis.

— Scott?

— Oui?

— Tu as bien fait de renvoyer tes sbires. J'en ai assez de faire l'amour en me demandant s'il n'y a pas un vigile sous le lit!

Chapitre 9

Dans la maison de Palo Alto, les jours s'écoulaient terriblement lentement. Pourtant, c'était bien de temps que Scott et ses amis allaient bientôt manquer cruellement. Mais Brian et Fay avaient souvent l'impression de vivre dans un autre monde qu'eux. Ils restaient généralement seuls, reclus et taciturnes, dans l'atmosphère d'angoisse et d'ennui qui avait envahi les pièces trop grandes. Ils essayaient de se distraire ou de discuter, Fay sans cesse s'efforçait d'interroger Brian sur ses désirs, sur ses projets, mais très vite tous deux replongeaient dans des pensées assez semblables. Parfois, le soir, Brian téléphonait chez lui. Il faisait ce qu'il pouvait pour rassurer sa mère, sans parvenir à éprouver l'envie de rentrer là-bas.

Dale passait le plus clair de son temps à Futureland, parmi les techniciens du parc, où se relayaient près de lui les autres membres de SiliCOM. Ils s'acharnaient avec une obstination que Scott qualifiait lui-même d'absurde, bombardant Cosmos 1692 de messages, recourant à toutes les procédures imaginables. Le satellite ne frémissait pas. Jour et nuit, les machines continuaient de tourner dans la salle des ordinateurs, programmées pour multiplier les combinaisons, comme s'il s'agissait de forcer la serrure d'un coffre-fort. Toutes les informations connues sur les systèmes de codage employés ordinairement par les Soviétiques avaient été rassemblées et mises en mémoire. Mais c'était peu et cela demeurerait probablement insuffisant. Il y avait une chance sur un milliard de tomber sur la solution. Et encore, songeait Scott dans ses moments de déprime, plutôt une chance sur mille milliards. Son moral tomba si bas que, malgré son dégoût, il en vint à appeler cette crapule de Tod Panchine, pour le cas où il aurait réussi à glaner quelque chose ici ou là. Il ne tira rien de lui, à part la conviction peu rassurante que ce type était tenaillé par la peur.

Philips, le plus fidèle et le plus inlassable de ses compagnons, lui dit un soir :

– Autant jeter une boule de billard dans l'espace en espérant qu'elle finira par rencontrer la comète de Halley.

Mais ils buvaient un verre, modifiaient les paramètres et remettaient ça.

Quoique cela lui fût de plus en plus pénible, Scott téléphonait presque chaque jour à John Clyde. Il percevait l'attente anxieuse de son ami à l'autre bout du fil, il lisait dans ses silences l'espoir déçu et souffrait de l'entendre proclamer avec un feint optimisme sa totale confiance dans l'équipe de SiliCOM. On ne doutait du succès ni à la NASA ni dans la presse américaine. Scott voyait les titres grossir un peu plus chaque matin, et cet intérêt croissant des journaux pour l'événement qui approchait lui apparaissait comme une sorte de terrible compte à rebours.

Une nuit, rentrant chez lui hébété de fatigue, Scott trouva Fay éveillée, assise sur le canapé de son bureau.

– Judy m'a téléphoné, annonça-t-elle. Elle attend un enfant.

– Judy ?

– Oui, Scott. John a fait un enfant à Judy. Et, s'il te plaît, ne me dis pas que tu le leur avais défendu. D'abord,

194

nous n'avions parlé que de leur éventuel mariage. Ensuite, cela ne te regarde pas.

– Est-ce que...

– Elle prétend que c'est un accident. Mais, bien sûr, elle a fermement l'intention de le garder.

– Je vois.

Fay alluma une cigarette, la vingtième de la soirée.

– Elle l'a fait exprès, dit Scott d'une voix où perçait la rage. Et elle compte sur toi pour me...

– Pour?

– Pour me forcer la main. Pour me convaincre de renoncer.

– Pour sauver John, ajouta Fay.

Elle regarda avec compassion le visage de Scott, qui portait tous les stigmates de la défaite.

– Très bien, dit-il, j'appellerai demain le chef du projet au centre Marshall. Je livrerai à la NASA tous les éléments qui sont en ma possession. A eux de prendre une décision.

Ils demeurèrent dans le bureau jusqu'au matin, pelotonnés sur le canapé, gais comme deux condamnés attendant l'exécution capitale.

Mais Scott ne prévint pas la NASA.

Le souvenir de sa conversation avec Conway dans la chambre de l'Alfa Motel l'avait poursuivi au cours des jours suivants puis, peu à peu, s'était effacé devant les tâches obsédantes qui l'accaparaient en permanence. Ce matin-là, alors qu'il s'apprêtait à abandonner le combat, il comprit ce que le flic avait voulu dire.

A 18 h 30, il reçut un appel urgent en provenance du bureau de Grapefruit à Boston. L'information tenait en quelques mots : le 26 à 14 heures aurait lieu la dispersion en vente publique des biens ayant appartenu à Serguéï Vassiliévitch Voronine.

Scott saisit Fay aux épaules et lui hurla :

– Ça y est! Ça y est! Cette fois, nous allons le récupérer, ce ciboire. Même s'il faut mettre un million de dollars sur la table, je te jure que personne ne nous empêchera de l'avoir.

En matière de liquidités bancaires, ni le KGB ni le FBI ne pouvait rivaliser avec SiliCOM.

Scott visita l'exposition qui précédait la vente en compagnie de Brian, la veille du jour où les possessions du vieux Voronine seraient mises aux enchères. Ils étaient arrivés avec Fay à Boston le matin même de San Francisco par le vol de nuit. La salle était gardée comme si devaient y être adjugés des Vermeer et des Rembrandt.

Brian reconnut avec tristesse les ordinateurs sur lesquels il avait appris tout ce qu'il savait, puis tous les souvenirs auxquels le Russe tenait tant. Il aurait voulu racheter chaque objet, empêcher l'éparpillement de cette accumulation disparate qui, pour lui, symbolisait une seule et unique personne. Tout était là, du réfrigérateur poussif au Vax ultra-perfectionné. Il aurait aimé, au moins, prendre son temps et caresser mille petits détails de mille regards en forme d'adieu.

Mais Scott était pressé. Scott ne pensait qu'à une chose : identifier le fameux ciboire. Le ciboire où se trouvaient les disquettes sur lesquelles était enregistré le code qui...

— Surtout, ne bronche pas, lui ordonna Scott lorsqu'ils parvinrent près de la vitrine qui abritait les principaux objets d'art de la collection. Tu m'écoutes?

— Oui, oui.

— Regarde attentivement, mais c'est tout. Pas un mot, pas un geste.

— Oui, Scott. Tu me l'as déjà dit.

— Si tu estimes avoir reconnu formellement celui que nous cherchons, je dis bien formellement, contente-toi de me le signaler et nous sortirons tout de suite.

— Je sais.

196

– Concentre-toi, maintenant. Et rappelle-toi la conversation que tu as eue avec Fay : fais preuve de méthode, méfie-toi de tes impressions, observe encore et encore.

Fay avait passé trois jours à le tyranniser en l'obligeant à se soumettre à des tests du style : cherchez l'intrus, ou complétez la série, afin d'aiguiser son sens logique et de le préparer à l'épreuve. Mais Brian ne voyait guère l'utilité de tout cela. Ce maudit ciboire, soit il le reconnaîtrait, soit il ne le reconnaîtrait pas. Et voilà.

Il y en avait neuf. Se conformant docilement aux instructions qu'on lui avait fermement conseillé de suivre, Brian se contenta dans un premier temps de les compter, de gauche à droite et de haut en bas, puis dans le sens inverse. Il y en avait neuf, répartis sur deux étagères de verre fumé. Quatre en haut, cinq en bas.

Méthodique, soyons méthodique...

Deux étaient rectangulaires. Brian savait que le bon était rond.

Un peu de logique...

Sur les sept qui restaient, cinq seulement semblaient faits d'argent ou de métal argenté.

– Pas trop longtemps, lui souffla Scott, nous allons attirer l'attention.

Son ventre se noua.

Cinq... C'était quatre de trop. Brian en élimina un, à cause de la forme trop particulière. Puis un autre, qui était nettement cabossé. Voronine n'aurait jamais choisi celui-là.

Plus que trois. Deux possédaient une petite croix sur le couvercle. Ils se ressemblaient horriblement. Celui que je cherche ferme mal, ferme mal, se répétait-il. Enfin, il découvrit la légère déformation du bord, la preuve que le couvercle s'ajustait difficilement, la preuve qu'il avait maintes fois été ouvert puis remis en place avec effort.

131. Le numéro demeurerait gravé dans sa mémoire jusqu'à la fin de ses jours.

– On peut y aller, Scott.

– Trop long. Viens ici. Regarde les ordinateurs. Examine-les sous toutes les coutures. Fais semblant d'en chercher un. Ne t'en fais pas, c'était prévu. Ensuite, nous ferons la même chose un peu plus loin. Il faut tromper l'ennemi.

Une vingtaine de minutes plus tard, ils ressortirent de la salle des ventes.

– C'est le 131, Scott, j'en suis sûr.

– Très bien. Nous l'aurons, Brian, je te le promets.

Ils regagnèrent l'hôtel Four Seasons où Fay les attendait. Scott ne souhaitait pas que Brian voit sa mère au cours de ce petit voyage de peur qu'elle ne le laisse repartir. Or il allait avoir plus que jamais besoin de lui, dès qu'il serait en possession des disquettes.

La salle était pleine. Il y avait des gens assis sur les quelques rangées de sièges, d'autres debout dans les allées, d'autres encore perchés sur les cimaises. Scott et Fay étaient arrivés bien avant l'heure, afin de pouvoir choisir des places correctement situées. Malgré ses protestations, ils avaient interdit à Brian de les accompagner. Un autre membre de SiliCOM avait fait le voyage jusqu'à Boston. Smith le bagarreur. Sa casquette dépassait de la foule, quelque part dans le fond de la salle.

Le commissaire-priseur était un homme à la chevelure et à la moustache blanches, un homme aux attitudes graves et dignes dans l'œil duquel brillait cependant en permanence une lueur ironique. Il surveillait l'assemblée des enchérisseurs d'un regard attentif et bienveillant, quoiqu'un rien condescendant.

La vente commença par la dispersion de lots sans grande valeur, caisses de livres, vaisselle, linge de maison, appareils ménagers...

Ils étaient tous là, Scott en était sûr. Le KGB, le FBI,

les tueurs de Voronine, l'inévitable Conway... qui d'autre? Mais, pour l'instant, bien que ne cessant de se tordre le cou dans tous les sens, il n'était encore parvenu à repérer personne. A quoi reconnaît-on un agent soviétique? Aux chaussures brunes et aux chaussettes blanches, lui avait affirmé Brian. Il ne jugea pas utile de se mettre à ramper entre les chaises pour essayer de vérifier l'hypothèse. Peu importait, d'ailleurs. Les intéressés se manifesteraient toujours assez tôt.

Il vit passer avec regret les vieilles photos dont Voronine avait garni ses murs, ces témoins émouvants des lointaines années de la jeunesse, ces bribes arrachées à la Russie blanche – la famille disparue, les amis perdus, les ancêtres presque oubliés. Il dut se faire violence pour ne pas lever le doigt et s'approprier les quelques documents en échange desquels des inconnus, on ne savait pourquoi, se montraient disposés à abandonner une misérable poignée de dollars. Dans quelle sordide boîte en carton finiraient les précieuses images sépia? Mais il ne pouvait pas se permettre d'intervenir déjà, même sa fidélité à Voronine le lui interdisait. Il ne fallait pas que le vieux Russe fût mort pour rien.

Scott continua de laisser passer le temps, les numéros de catalogue et les objets, ignorant les pincements de son cœur. A tout moment, Fay le tirait par la manche ou lui adressait de petites grimaces pour lui désigner une gabardine suspecte, une moustache policière, une mine d'agent secret ou un faciès typiquement soviétique.

– Du calme, Fay, murmurait-il. Ils se démasqueront bien tout seuls.

– Tu as vu cette femme? Je jurerais qu'elle a un flingue dans son sac.

Plus elle regardait autour d'elle, plus l'impression qu'elle éprouvait d'être cernée par une cohorte de deux ou trois cents espions se renforçait. Pourquoi ce petit homme barbu du second rang enchérissait-il toujours à voix haute par trois dollars à la fois? Pourquoi la jeune femme en manteau de fourrure s'obstinait-elle à ne s'intéresser qu'aux catalogues décrivant les ventes de la semaine suivante? Pourquoi le numéro 34 avait-il été retiré par le commissaire-priseur faute d'acquéreur?

– Ceux-là! Scott! Scott! Les deux types un peu bizarres, là, sur ta gauche. Là, bon sang, ceux qui ont l'air d'avoir connu Raspoutine enfant. Je les ai entendus parler en russe, j'en suis certaine.

– Platonov et Kakoulia.

– Quoi?

– Platonov et Kakoulia. Des habitués du cercle Pouchkine. Ils fréquentaient Voronine depuis plus de trente ans.

– Ah! Et le grand maigre, là-bas? Tu ne trouves pas qu'il a une gueule de tueur?

– Ne t'inquiète pas. Je les ai tous à l'œil. A la première alerte, je fais sauter la salle.

Le commissaire-priseur égrenait infatigablement les chiffres... *deux cents, deux cent cinquante, trois cents...* avant de frapper la table d'un coup de marteau.

– Personne en face, c'est par des lunettes sur ma droite, pas de regrets, ce n'est pas par vous debout, je vais adjuger, oui, monsieur, c'est vous, adjugé quatre cent cinquante.

Toc.

– Allons, ça vaut mieux, six cent trente pour cette splendide icône du XIXe siècle à riza en argent, merci, monsieur, six cent cinquante, sept cents, cinquante, huit cents, non? On renonce à huit cents? Huit cents pour cette nativité, c'est par un amateur au premier rang, ce n'est plus au fond de la salle, huit cents, adjugé.

Toc.

– Nous allons passer maintenant à une exceptionnelle collection de ciboires, art russe du siècle dernier, sauf le numéro 128 qui est aux alentours de 1930, notez bien qu'il y a une rectification au catalogue, pas de réclamation. Nous reprenons donc pour la dispersion de cette collection au numéro 126, il y a neuf ciboires, voyez le premier, très bel objet, et nous commençons à trois cents pour ce magnifique ciboire.

Scott avait trouvé l'attente interminable et maintenant il se disait : déjà, voilà, ça y est, à nous de jouer. La tension qu'il éprouvait lui sembla soudain se communiquer à l'ensemble de la salle. Les enchères débutèrent prudemment, comme si chacun observait chacun. Enfin, il se décida et leva vigoureusement le bras en criant son chiffre :

– Quatre cent vingt!

– Quatre cent vingt par un jeune homme bronzé au centre, reprit le commissaire-priseur.

– Cinquante!

Le petit homme chauve avait bondi de son siège et il agitait à présent la main, debout en bordure de l'allée.

– Quatre cent cinquante par un amateur enthousiaste, dit le commissaire-priseur en feignant de devoir abattre son marteau de façon imminente.

– Cinq cents, annonça Scott.

– Je l'aurais parié, lui glissa Fay. Le petit chauve... Je l'avais repéré depuis le début.

– Cinquante.

L'adversaire continuait de gesticuler frénétiquement.

– A combien se montent les fonds secrets du KGB, à ton avis? demanda Scott en faisant signe qu'il suivait.

– En roubles ou en dollars?

L'enchère ne tarda pas à dépasser la barre des mille dollars. Le public n'avait plus d'yeux que pour le duel qui se livrait. Le commissaire-priseur s'efforçait d'enregistrer les ordres successifs sans trop laisser paraître sa surprise. La somme proposée atteignait maintenant le double de l'estimation.

– Quinze cents.

– Dix-huit.

– Deux mille.

– Cent.

– Deux mille cent dans l'allée, ce n'est plus assis au centre. Monsieur, vous désirez le revoir? C'est bien naturel.

Un commissaire saisit l'objet pour l'aller montrer de plus près à Scott. Le petit homme chauve recula en même temps que le ciboire, exécutant une espèce de pantomime étrange, couvant le coffret de ses bras. On lisait dans son regard de myope toute la méfiance et toute la colère du monde, comme s'il s'attendait à quelque tour de passe-passe.

Scott se leva, approcha, se pencha. Il se baissa légèrement, se tordit le cou, marmonna quelque chose, regarda encore. Il se tourna vers Fay, lui adressa un petit geste énigmatique puis haussa les épaules d'un air incertain. Enfin, il secoua la tête à l'intention du commissaire-priseur, pour lui signaler qu'il abandonnait.

– Deux mille cent, adjugé.

Le commissaire s'éloigna vers la réserve, chargé du précieux objet où il serait remisé jusqu'à la fin de la vente. L'acquéreur demeura un instant pantois puis, brusquement pris d'affolement, il se précipita sur l'homme qui marchait devant lui en hurlant :

– Je garde! Je garde!

Et, cette fois, Scott détecta de manière indubitable son léger accent.

– Monsieur garde, précisa inutilement le commissaire-priseur, amusé. Ne craignez rien, monsieur, il est à vous.

Le petit chauve arracha brutalement le ciboire des mains du commissaire et le tendit à un individu aussi imposant que placide, qui occupait le siège voisin de celui qu'il avait quitté.

– Numéro 127, cet autre ciboire, très semblable au

précédent, et nous commençons également à trois cents, cinquante, quatre cents, cinquante...

Fay se redressa pour essayer d'apercevoir le manège des deux Soviétiques. Le grand costaud palpait le coffret de ses gros doigts malhabiles. Il l'ouvrit, en sonda le fond et gratifia son comparse d'une grimace penaude. Rien. L'autre en était maintenant à mille six cents dollars.

– Mille huit cents, dit Scott.

Le second ciboire atteignit la somme de trois mille quatre cents dollars. Enchère par un monsieur chauve.

– Vous gardez? lui demanda poliment le commissaire.

L'objet fut happé comme le précédent par deux mains avides avant d'être exploré de la même manière méticuleuse par la brute assise au quatrième rang. Toujours rien.

Le troisième ciboire fut adjugé deux mille huit cents dollars.

Toc.

Il était vide.

Le petit homme chauve acheta la quatrième pièce quatre mille trois cents dollars, cinq fois le prix de l'estimation.

Toc.

A chaque coup de marteau, une rumeur, entre le frisson et le fou rire, parcourait la salle. Plus encore que le petit homme chauve et sa danse frénétique, l'acolyte du quatrième rang était devenu le point de mire de tout le public. La façon dont il auscultait ses prises, et plus encore dont il les protégeait de ses membres puissants, deux sous les bras, deux entre les cuisses, avait quelque chose de profondément grotesque. Et chacun semblait se demander où il allait mettre le cinquième ciboire.

Le numéro 130 du catalogue fut sommairement décrit.

– On met le paquet? proposa Scott.

– Je crois que c'est le moment, dit Fay.

A trois mille cinq cents dollars, Scott pria de nouveau le commissaire de bien vouloir lui montrer l'objet. Cette fois, son examen fut bref. Il hocha la tête d'un air satisfait et surenchérit. Son concurrent suivit d'une voix hystérique.

Scott cessa d'annoncer ses offres, se contentant de faire un petit signe de la main dès que l'adversaire avait parlé. A dix mille dollars, il y eut comme une pause, un blanc, un silence de trois ou quatre secondes que tout le monde respecta. A vingt mille dollars, léger brouhaha, toux et rires discrets comme au concert entre deux mouvements. A trente mille dollars, le commissaire-priseur s'essuya le front. A quarante mille dollars, le petit homme chauve se retourna vers Dale et le défia du regard. Dale lui sourit. A cinquante mille dollars, l'acolyte laissa tomber par terre les ciboires qui s'accumulaient sur ses cuisses. Il se leva précipitamment, lâchant ceux qui étaient coincés sous ses bras, et ouvrit ses mains énormes, comme pour étrangler quiconque oserait s'approcher. Lorsque le vacarme eut cessé, Scott suggéra de passer directement à cent mille dollars. La foule poussa une exclamation horrifiée.

Le commissaire-priseur demanda à voir l'objet. Il le soupesa, le caressa, le renifla, haussa les sourcils et regarda les duellistes avec circonspection. Le Russe avait rageusement promis dix mille dollars de plus.

– Non, dit simplement Scott.

– On renonce? Cent dix mille, adjugé.

Un énergumène coiffé d'une casquette jaillit dans l'allée en hurlant au scandale.

– Il s'agit objet volé par la Révolution, volé à mon père comte Ogoupov! s'écria-t-il en roulant les *r*. Ciboire valeur inestimable. Mon père y a caché reliques grand saint de mon pays pour les protéger démons communistes!

– Je ne connais personne qui ait l'air aussi peu russe que lui, souffla Fay.

Smith s'était placé devant le petit homme chauve et l'empêchait de s'approprier le bien qu'il venait d'acquérir. Le mastodonte laissa dégringoler une seconde fois tout son butin sur le sol et manifesta en grognant son intention de régler la situation à sa manière.

Le commissaire-priseur frappait son bureau à coups de marteau, comme un président de tribunal qui n'arrive plus à reprendre le contrôle des débats.

– Messieurs! Messieurs!

– Honte pour l'Amérique si vous laissez faire chose pareille! continuait Smith. Objet volé! Ciboire de mon père!

– Enfin, monsieur, nous dispersons aujourd'hui la collection V., tous les lots vendus ici sont parfaitement...

Le commissaire-priseur ne put achever sa phrase. La masse du gorille soviétique s'était abattue dans l'allée, emportant sur son passage le petit homme chauve, Smith et le commissaire.

– Cessez! Cessez immédiatement. Messieurs!

Trois hommes des services de sécurité surgirent dans la salle et se précipitèrent dans la mêlée.

– Messieurs! Veuillez sortir!

– Je peux prouver! J'ai documents pour prouver! braillait Smith en martelant de coups le crâne chauve du petit bonhomme.

– Il y a un bureau pour les litiges. Si vous avez des preuves, vous les montrerez là-bas. Sortez, à présent.

Le teint du commissaire-priseur virait progressivement à l'écarlate.

– Parfaitement! J'ai preuves! J'ai...

Il se tut brusquement, plié en deux par un coup de genou dans le ventre.

– La vente reprend! La vente reprend! s'obstinait le commissaire-priseur.

Les appariteurs reçurent du renfort et, à cinq,

finirent par avoir le dessus. Ils interrompirent le pugilat et entraînèrent de force les combattants, emportant le ciboire litigieux. Le petit chauve déversa insultes et menaces jusqu'au couloir, ne se calmant qu'au moment de pénétrer dans le bureau où on le conduisait.

Là, une jeune femme au visage sévère, qu'on avait visiblement déjà avertie de la nature du problème, demanda à Smith de s'expliquer.

– Ce ciboire bien de famille volé en 17 pendant l'exode, dit-il

– C'est faux! C'est faux! Il m'appartient! protestait son adversaire. Je viens de l'acheter cent dix mille dollars.

La jeune femme sursauta en entendant le chiffre.

– Et où se trouvent ces preuves, monsieur, s'il vous plaît? demanda-t-elle à Smith.

– Chez moi.

– Où ça, chez vous?

– Chez moi, à Saint-Pétersbourg.

Elle posa sur Smith un regard consterné.

– C'est une imposture! rugit le petit chauve. Cet escroc n'a pas une goutte de sang russe.

Quand un rire de dément commença de secouer la grande carcasse de Smith, la jeune femme préféra détourner les yeux.

– Appariteurs, dit-elle, veuillez remettre l'objet à l'enchérisseur.

Les deux Soviétiques quittèrent en hâte le bureau. A peine furent-ils dans le couloir qu'ils s'accroupirent, l'un tenant le fond et l'autre tirant sur le couvercle. Ils plongèrent ensemble leurs doigts dans la boîte. Rien. D'un même mouvement, ils se redressèrent et foncèrent en direction de la salle.

Toc.

Le marteau d'ivoire s'abattit à l'instant où ils commençaient de se frayer un chemin dans le public.

206

– Adjugé quatre cents dollars.

– Je garde! cria Scott.

Ça y était! Le numéro 131 repéré par Brian lui appartenait. Le ciboire, les disquettes et le code. Il tendit les mains pour saisir l'objet après lequel il courait depuis des semaines.

– Préemption!

Une clameur stupéfaite parcourut la foule.

– Préemption du musée des Arts et Traditions russes, compléta la grande femme toute sèche qui venait de se lever.

Le commissaire recula, éloignant le ciboire de Scott au moment où le bout de ses doigts allait enfin le toucher.

– Qu'est-ce que ça signifie? demanda-t-il, abasourdi. Fay, qu'est-ce que ça veut dire?

Il revenait vers elle, désemparé.

– C'est un droit qu'ont les musées ou les administrations d'acquérir d'office un objet qui passe en vente publique, au prix de la dernière enchère. J'ai appris ça en étudiant l'histoire de l'art.

– Ce n'est pas possible, c'est...

Il le découvrit soudain, debout près d'une cimaise. Jamais Scott n'avait vu la figure de Conway éclairée d'un tel sourire.

– Nous nous sommes fait rouler. Fay! Fay! Il doit bien y avoir une riposte contre ça?

– Non, pas à ma connaissance.

– Ce n'est pas possible. Il doit y avoir...

– Regarde, nos amis soviétiques s'en vont. Eux non plus, ils n'ont pas trouvé la parade.

Conway adressa au couple un salut poli.

– Vas-y, dit Fay. Va lui parler. Il n'attend que ça.

– Il n'a plus besoin de moi.

– Essaie, Scott. Il ignore ce qu'il y a dans le ciboire. Il faut absolument essayer de s'entendre avec lui. Il faut le convaincre de coopérer avec nous.

Scott amorça à contrecœur un mouvement en direction du flic mais celui-ci se dirigea ostensiblement vers la sortie.

La salle s'était calmée. Personne n'osa participer aux enchères concernant les trois derniers ciboires. Ils furent retirés de la vente, faute d'offre. Quant aux cinq pièces abandonnées par terre par les deux Soviétiques, nul ne s'en serait approché pour un empire.

Scott et Fay passèrent la fin de l'après-midi dans les bureaux de l'agence bostonienne de Grapefruit.

Dale demanda à ses collaborateurs de lui confirmer ce qu'il pensait savoir déjà. Au bout d'une heure de recherches, ils arrivèrent en effet à la conclusion qu'il n'existait aucun musée des Arts et Traditions russes.

Chapitre 10

Albert Conway balançait entre la jubilation et la déception. Il s'était attendu à quelque chose de plus familier, quelque chose qui appartînt à son petit univers. Un document, une information en clair, au pire un microfilm. Il aurait pourtant dû prévoir le coup. Ces gens ne vivaient que pour et par leurs saloperies de machines.

Ce qu'on faisait de ces petits carrés noirs, il n'en avait aucune idée. Enfin si, il supposait bien qu'il y avait des informations dessus et qu'il fallait un ordinateur pour les déchiffrer. Ça allait de soi. Mais il n'avait jamais rien vu de tel. Oh, il en avait probablement eu l'occasion mais il n'avait pas voulu voir. Il luttait depuis des années pour ne pas savoir que ces choses-là existaient.

Il ne parvenait pas à le regretter. S'il y avait une chose qu'il n'avait pas supporté dans le tragique accident de Challenger, c'était qu'on lui apprenne que la vie de sept jeunes et courageux Américains pouvait dépendre de la résistance d'un joint. Cela gâtait l'image qu'il se faisait de la conquête de l'espace. Peut-être après tout n'était-il qu'un vieux rêveur, un sentimental. Il croyait aux grandes causes, aux sentiments, aux forces pures, il aimait les héros, les exploits, les drapeaux. Il pensait que la foi devait pouvoir suffire à soulever les fusées. Un joint qui cédait, ce n'était pas un incident technique, c'était une trahison.

Il tournait et retournait les disquettes en tous sens, comme s'il espérait qu'elles allaient finir par lui livrer d'elles-mêmes leur secret. Pour un peu, il les aurait déchirées, brûlées. Ce n'était pas à son âge qu'il allait se mettre au régime californien. Il achèverait son enquête comme il l'avait commencée, avec son cerveau à lui, pas avec une machine. Mais non, il ne pouvait pas les détruire, elles lui avaient coûté trop d'efforts.

Son impuissance le faisait enrager. De quelque façon qu'il examinât le problème, il en arrivait à la même conclusion : il ne pourrait éviter de s'en remettre à un tiers.

Tout plutôt que d'abandonner la conduite des opérations. Cela, il ne l'accepterait jamais. Pas qu'un de ces technocrates, un de ces flics de salon, vienne poser ses pattes manucurées sur *ses* disquettes. Pas eux. Pas un de ces types qui n'auraient jamais seulement été assez futés pour ôter le petit morceau de carton couvert de velours rouge sous lequel il avait découvert les enregistrements.

Il savait que son devoir aurait dû lui commander d'agir ainsi, de rapporter ses prises à ses supérieurs, en bon et loyal rabatteur. Mais il savait également ce qui se produirait s'il le faisait. Ils l'oublieraient. Peut-être même ne lui dirait-on jamais ce qu'il y avait sur les disquettes. Et, si leur contenu se révélait aussi important qu'il le supposait, si cela intéressait comme il le croyait la défense nationale, ils étaient capables de le muter dans un bureau ou de le mettre prématurément à la retraite pour se débarrasser de quelqu'un qui n'en aurait déjà que trop vu à leur goût.

Il n'envisageait que deux autres solutions, et aucune ne l'enchantait particulièrement. L'idée de devoir s'adresser à Scott Dale l'humiliait et celle de s'en remettre de nouveau à Tod Panchine lui répugnait. Conway savait ne pouvoir leur faire confiance ni à l'un ni à l'autre, mais il y en avait au moins un des deux sur qui ses vieux trucs de méchant flic avaient quelque chance de faire effet. De surcroît, et si cela se révélait nécessaire, il pensait être en mesure de réduire Panchine au silence pendant le temps qu'il faudrait.

Conway avait trouvé dans le ciboire, sous le velours rouge, cinq disquettes portant des inscriptions diverses au feutre noir. Sur l'une d'elles, il avait réussi à déchiffrer la mention : COSMOS 1692.

Ils avaient perdu l'habitude de se voir tous ensemble en chair et en os, et se sentaient presque empruntés face aux écrans noirs de la grande salle des communications de Scott. Douze des membres de SiliCOM étaient venus, ayant choisi de vivre réunis dans un même lieu, et non reliés comme de coutume par d'impalpables ondes hertziennes, les moments les plus critiques de l'histoire de leur jeune réseau.

L'atmosphère était lourde et le silence d'autant plus pesant que l'assemblée était nombreuse. Au début de l'après-midi, à l'unanimité moins deux voix, ils avaient décidé de tenter de contacter le flic nommé Conway. La discussion avait été brève, mais il leur en avait coûté à tous. C'était pour SiliCOM un aveu de défaite. Il faudrait traiter, donc lâcher ces informations qu'ils s'étaient obstinés à taire depuis des semaines. Probablement sans conditions.

Dogson et Iakimidis rejoignirent leurs compagnons après s'être absentés pendant plus d'une heure. Leur mine déconfite parlait déjà pour eux.

Dogson brandissait une grande feuille arrachée à une imprimante.

Conway. Prénom inconnu. Flic.

– Nous en avons trouvé plusieurs dizaines, comme prévu, dit Iakimidis. Rien que pour le quart nord-est des États-Unis.

— A supposer qu'il soit bien de par là, ajouta Dogson. Quant à savoir si l'un d'eux appartient au FBI...

— Seul le FBI pourrait nous répondre, dit Kate Rucker.

Scott contempla un instant le beau visage froid de la jeune femme. Il porta à ses lèvres le verre de thé qu'il tenait entre le pouce et l'index, but une gorgée puis murmura songeusement :

— Des dizaines et des dizaines de Conway...

Et il compléta intérieurement : pourvu qu'ils ne ressemblent pas tous à ça.

— Il reste trois jours, dit Huong-Ho.

C'était la vingtième fois que l'un d'eux prononçait ces mots. Mais personne n'eut le cœur de le lui faire remarquer.

— Alors, le FBI? suggéra Philips avec une grimace qui ne dissimulait rien de ce qu'il pensait personnellement de la solution.

— En dernier recours, dit Scott. Puis...

— Quoi?

Cinq ou six têtes se tournèrent vers lui et Scott vit là le signe que tous s'attendaient encore qu'il leur sorte un cinquième as de son chapeau. Il suffisait qu'il commence une phrase pour qu'un semblant d'espoir renaisse chez eux. Mais il n'avait rien à leur dire.

— Oh, je pensais simplement qu'à l'heure qu'il est Conway a sans doute d'ores et déjà rapporté les disquettes à ses maîtres. Je ne vois pas pourquoi nous nous acharnerions à vouloir avertir des gens qui ont probablement tout en main.

— Il leur faudra du temps pour comprendre de quoi il s'agit, dit Iakimidis. Et il n'est même pas certain qu'ils y parviennent jamais.

— D'après Brian, dit Fay, Conway était à deux doigts de reconstituer le puzzle. Alors, avec les disquettes...

— Non, objecta Philips. Il y a peu de chances pour qu'ils se décident comme ça, en quarante-huit heures, à utiliser un code soviétique et à le balancer sur un Cosmos. C'est une procédure trop grave. Ils vont analyser le document, transmettre leurs trouvailles de bureau en bureau, de service en service. Ça finira au ministère de la Défense ou je ne sais où..., mais, entre-temps, Discovery aura sauté.

Fay fit claquer ses doigts.

— Moi, je ne suis pas sûre que Conway va faire ça, dit-elle. A mon avis, il va essayer de démêler l'affaire jusqu'au bout. Le problème, pour lui, c'est qu'il va buter contre son incompétence. Il sait qu'il détient la clé de toute l'histoire, mais il sait aussi qu'il est incapable de l'utiliser. Et ça, ça doit le faire enrager.

— Continue, dit Scott. Que déduis-tu de ces considérations?

— Qu'il aura en fin de compte le même réflexe que nous. Qu'il n'alertera les pontes du FBI qu'en désespoir de cause. Il sent depuis longtemps qu'il est sur le coup de sa vie. Quand on a le billet gagnant dans sa poche, on ne demande pas à quelqu'un d'autre d'aller toucher le gros lot. Il faut retrouver Conway, Scott.

— Je veux bien téléphoner à tous les Conway de la liste, proposa Dogson sur un ton de gaieté funèbre.

— Attends, dit Scott. Il y a toujours ce petit parasite..., Panchine. Il est en relation avec lui. Peut-être sait-il comment entrer en contact avec Conway?

Fay accompagna Scott dans son bureau.

— Je n'en avais pas tout à fait terminé avec mes déductions, lui confia-t-elle. Mon impression est que Conway finira par s'adresser à nous de lui-même.

— Nous ne pouvons pas prendre le risque de compter là-dessus, répondit Scott en composant le numéro de Panchine.

— Non, nous ne pouvons pas.

Tod décrocha aussitôt.

— Oh, monsieur Dale! s'écria-t-il d'une voix enjouée.

– Écoute-moi bien. Je vais te donner l'occasion de faire la chose la plus intelligente et la plus utile de toute ton existence.

– Je ne demande que ça, monsieur Dale.

– Tu vas me dire comment on peut joindre Conway, tu sais, ton ami flic.

– C'est un grand mot, monsieur Dale. Je ne fréquente pas beaucoup ces gens-là.

– Peu importe. Ce n'est pas mon ami non plus mais, vois-tu, j'ai quand même un cadeau à lui faire. Il t'en sera reconnaissant, je peux te l'assurer.

Scott entendit une exclamation.

– Ça alors, c'est incroyable!

– Quoi?

– Putain de...

– Tod? Qu'est-ce qui t'arrive?

– Il...

– Quoi?

– Rien, rien... Excusez-moi, monsieur Dale, je vous rappellerai plus tard, il faut que je raccroche.

La communication fut brutalement interrompue.

Conway devait être comme les génies des contes arabes. Il suffisait d'invoquer son nom pour le voir apparaître sur-le-champ. Mais Tod avait fermement l'intention d'oublier désormais la formule magique. Le flic avait l'air dans une forme éblouissante.

– Pourquoi raccroches-tu comme ça quand tu me vois arriver? Est-ce que tu aurais des secrets pour le vieil Albert?

– Non, non... j'ai été surpris, c'est tout.

– Encore une opération louche? Qu'est-ce que tu as à vendre d'intéressant, en ce moment?

– Mais rien, je vous assure.

Conway sourit benoîtement en se frayant un passage dans le capharnaüm de Panchine.

Tod eut un mouvement d'humeur.

– Il ne vient jamais personne, ici. Enfin, il ne venait jamais personne. Vous avez raison, je vais m'acheter une bonne serrure. Puisque ça vous ferait trop mal de frapper avant d'entrer.

Conway dégagea un coin de la table de Tod pour pouvoir y poser une fesse.

– Allez, allez, ne te fâche pas, justement j'étais de bonne humeur. Tiens, où est passé ton robot?

– A l'atelier, derrière. Il faut que je le révise. Je ne sais pas ce qui lui a pris, l'autre soir, il est devenu fou, il m'a tout cassé.

Tod désigna, dans un coin, des étagères fracassées et des tas de livres toujours répandus.

– Je n'avais rien remarqué, dit Conway. T'es bon bricoleur, au moins?

– Je me débrouille.

– A la bonne heure. Justement, j'ai du travail pour toi. Ça te connaît, l'informatique, non?

– Il paraît.

Le flic tira de sa poche les petites disquettes de Voronine et les montra à Tod.

– Tu sais ce que c'est que ça?

– Attendez, laissez-moi réfléchir.

– Bon, d'accord, ce sont des disquettes. Des disquettes qui, certainement, ont servi à l'élaboration d'un programme d'une extrême importance.

– M'étonnerait.

– Quoi, ça t'étonnerait?

Panchine se mit à ricaner, avançant vers les disquettes une main que Conway se hâta de décourager.

– C'est des trois quarts, dit Tod.

– Trois quarts de quoi?

– De pouce.

– Et alors?

– On utilise pas ça pour un programme sérieux. On met ça dans les vieux Grapefruit, des bécanes de ce genre. C'est pour les amateurs.

Conway eut l'air contrarié.

– Tu veux dire que tu ne peux pas les lire?

– Oh si, si. J'ai tout ce qu'il faut, ici. A part un Vax. Et qu'est-ce qu'il y a de si fascinant, sur vos disquettes?

Tod n'avait aucune idée de ce qu'il pouvait y avoir dessus, mais il avait compris depuis un moment déjà que c'était après ces petites choses qui tenaient dans le creux de la main que couraient Scott Dale et les services secrets soviétiques. Ainsi, ce vieux flic puant avait pris tout le monde de vitesse. Plus il y réfléchissait et moins la visite de Conway lui faisait plaisir.

Conway réchauffait les disquettes dans sa grande paume striée de plis profonds.

– Mettez pas vos doigts là-dessus, lui dit Tod. Vous risquez d'effacer toutes les informations.

Conway les lâcha sur le bureau, comme s'il s'était brûlé.

– Alors, tu peux me dire ce que ça raconte ou tu ne peux pas?

– Très franchement, j'aurais préféré que vous vous adressiez ailleurs. J'ai pas envie de me faire emballer dans du fil électrique rouge.

– T'inquiète pas. Personne ne te fera d'ennuis. A part moi, si tu ne te montres pas coopératif.

– Et qu'est-ce que j'y gagne?

– La paix. Je t'oublie, j'oublie tes petits trafics indélicats et je ne remets jamais les pieds chez toi.

– J'avoue que c'est tentant.

– Allez, sors-nous une bière et au travail.

Tod mit en marche son Grapefruit, une machine qu'il avait payée une fortune et qu'on soldait maintenant partout à moins de quinze cents dollars.

Conway avait étalé les disquettes sur une feuille de

papier blanc. Il semblait marmonner quelque comptine pour décider par laquelle il allait commencer. Tod avait remarqué l'inscription COSMOS 1692 que portait l'une d'elles, mais il s'était bien gardé de faire une quelconque réflexion à ce sujet.

– Laquelle? demanda-t-il.

– Hum... je ne sais pas. Celle-là.

Conway en avait choisi une au hasard.

Tod l'introduisit dans son lecteur, frappa quelques touches. Trois lignes de lettres et de chiffres apparurent sur l'écran.

– C'est tout? demanda Conway.

Tod fit voyager son curseur puis retourna au système pour appeler le directoire du fichier.

– Oui.

La formule s'inscrivit de nouveau sur le moniteur.

– Et qu'est-ce que ça signifie, à ton avis?

– Ben, comme vous voyez, c'est un code. Si on ne sait pas à quoi il est destiné, on ne risque pas de pouvoir l'utiliser.

– Essaie celle-là, dit Conway en poussant une autre disquette de l'ongle.

La seconde fut plus bavarde quoique aussi difficile à interpréter.

– On dirait un programme, finit par conclure Tod Panchine. Mais ne me demandez pas à quoi il est destiné. Je ne pense pas qu'il soit achevé.

– Je te croyais plus fort que ça.

– Vous me faites rire! Comment voulez-vous... Attendez, je crois que j'ai repéré des éléments du code précédent.

– De l'autre disquette?

– Ouais. Je suppose que c'est un programme qui sert à déchiffrer le code, ou peut-être à le renvoyer quelque part. Rien à ajouter.

Le flic lui en tendait déjà une troisième. Tod l'inséra dans son lecteur et frappa quelques touches.

– De mieux en mieux, marmonna-t-il.

L'écran du Grapefruit avait affiché une sorte de sinusoïde barrée par une ligne horizontale. Le long du tracé étaient inscrits une cinquantaine d'indices, pareils à des chiffres faisant de l'escalade. En dessous figurait cette seule inscription : 27/1/86.

– Le 27 janvier...

– Oui, dit Conway, à moi aussi, ça me rappelle quelque chose.

– La Navette...

– Et cette courbe? Tu ne sais pas, comme d'habitude.

– Disons que ça pourrait être l'enregistrement d'un signal.

– Quel genre?

– N'importe quel genre. Une émission radio, un rayon ou peut-être un électrocardiogramme.

– Quel rapport y a-t-il entre un électrocardiogramme et l'explosion de Challenger, selon toi?

– Aucun.

Conway vida sa canette de Michelob et la reposa brutalement sur la table.

– Faut vraiment aimer pisser pour boire ça, dit-il. Aucun, non, moi non plus, je n'en vois aucun. Alors, tâche de réfléchir un peu avant de proférer n'importe quelle connerie. Que s'est-il passé le 27 janvier?

– Ta! ta! ta! Braoumm! gueula Tod, imitant les grands gestes saccadés de Big Jim.

– Trouves ça drôle? Bon, alors? De quoi s'agit-il, monsieur le spécialiste?

– Hé, là! une seconde! Je ne suis pas spécialiste en catastrophes nationales, moi!

– D'accord. Je vais te poser la question autrement. Clairement. Imagines-tu un type, chez lui, sachant que la Navette va sauter et enregistrant sur je ne sais quel appareil le... l'onde... ou... merde... la déflagration?

– Non.

218

– Pourquoi non?

– Ce serait plutôt le contraire. Un signal qui provoquerait une explosion.

– Intéressant. Qu'est-ce qui te fait dire ça?

– Il doit s'agir d'un signal très bref, une fraction de seconde. S'il s'agissait de l'explosion elle-même, le tracé serait différent. Là, si vous voulez, je vois ça comme un coup de poignard. Plic. Intense, aigu, rapide. Pour Challenger, ce serait plutôt comme une grande baffe dans la gueule. Avec un ébranlement et des retombées. Braoumm! Chlaff! Chlaff!

– On jurerait que tu y étais. Et ces petits chiffres, là, ils ne t'inspirent rien?

Tod serra les lèvres et manifesta son ignorance d'un bruit peu gracieux.

– Parfait. Changeons de sujet.

Conway tournait autour du pot. Tod le sentait, mais il préférait continuer à n'en rien montrer.

– Bon. Allons-y, souffla finalement le flic. Et tâche d'être un peu plus brillant, ce coup-là.

Il tapotait la petite étiquette marquée : Cosmos.

– Pas les doigts, grogna Tod.

Panchine poussa la disquette dans la fente et verrouilla le lecteur. Une série d'instructions, à nouveau; un code. Un en-tête : Cosmos 1692. Puis, plus bas, autre chose. Des coordonnées spatiales.

Tod comprit en un éclair ce qui se trouvait devant lui. Il ne pouvait pas l'analyser mais il savait quel usage il était possible d'en faire. Après tout, quand on rencontre une inscription rédigée dans une langue étrangère, si les caractères sont familiers, on peut la lire; et, si on sait de quelle langue il s'agit, on peut la lire à une personne qui la comprendra. Mais on ignore quelle sera sa réaction.

– C'est comme sur les premières, dit-il prudemment.

– A savoir? Un code?

– J'imagine.

– Indéchiffrable?

Pour la première fois, Tod perçut dans la voix du flic plus que de la curiosité ou de l'intérêt. Une urgence, une crainte..., et, surtout, à son endroit à lui, Tod Panchine, une menace.

Il fit sauter la languette d'une nouvelle boîte de bière et feignit de se concentrer sur ce que lui montrait son écran.

– On ne rigole plus, annonça Conway. Maintenant, Panchine, je te conseille de te fatiguer un peu les méninges, parce que je ne partirai pas d'ici avant de savoir ce que c'est que ça.

Tod n'entr'aperçut pas sans un frémissement l'épouvantable perspective : Conway campant chez lui pendant des jours et des jours, Conway vidant ses canettes tandis qu'il suait sur le décryptage du programme.

Il travailla pendant près d'une heure, étudiant tour à tour les cinq disquettes pour essayer d'opérer des recoupements. A chaque fois qu'il tournait la tête vers le flic, il rencontrait son regard fixe et brillant. Conway ne le lâchait pas des yeux. Mais, au moins, il se taisait.

Une sorte de migraine stimulée par l'angoisse lui bouffait la nuque. Par moments, il lui fallait laisser pendre ses bras le long de son corps pour que ses muscles noués se détendent. Mais il savait depuis le début qu'il s'échinait en vain.

– Il n'y en a pas, dit-il soudain. Écorchez-moi vif si vous voulez, mais il n'y en a pas.

– De quoi?

– De recoupement possible. La disquette Cosmos est indépendante des quatre autres.

– Qu'est-ce que tu veux que ça me foute? Ce n'est pas ce que je t'ai demandé, il me semble.

– Si vous êtes plus malin que moi, soufflez-moi une autre méthode. Un code, comme ça, tout seul, ça ne sert à rien. Je vous l'ai déjà expliqué. En comparant plusieurs codes, et avec un peu de chance, et avec dix ans devant soi, on peut espérer par analogie mettre le doigt sur quelque chose. Essayer de deviner à quoi correspond tel ou tel élément. S'il y avait un lien entre la courbe de la disquette trois et le code de la disquette quatre, par exemple, on pourrait fantasmer. Mais moi, je vous dis qu'il n'y en a pas.

— Déchiffre-moi ça, Panchine!

— Et merde! Je ne suis pas Alan Turing!

— Qui ça?

— Rien. Laissez tomber.

Conway se rapprocha de Tod.

— Explique-moi un peu cette histoire, dit-il. De quoi s'agit-il, d'après toi? D'un message chiffré?

— D'instructions cryptées, plutôt. Pas un truc du genre : attaquez le 8 à midi. Ce sont des commandes destinées à produire je ne sais quel effet sur je ne sais quoi.

— Sur un satellite?

— Peut-être.

— Et comment peut-on chiffrer des commandes?

— De la même façon. En remplaçant des ordres en clair par d'autres dont personne ne peut deviner la nature. Ou en en faisant une salade incompréhensible. Par substitution ou par transposition, on dit.

— On ne peut donc rien tirer de ce code, à ton avis?

— Si. C'est un code actif. Si vous en bombardez la cible à laquelle il est destiné, elle réagira. Autrement...

— D'accord, tu me l'as déjà dit. Et ce..., comment l'appelles-tu..., Turing? Il est fort?

— Très. Mais ne vous emballez pas. Il est mort depuis plus de trente ans. C'est lui qui a baisé les services secrets allemands pendant la guerre.

— Je vois. Dis-moi, à quoi cela les avance-t-il de crypter des instructions si on n'a pas besoin de les déchiffrer pour les utiliser?

— A dissimuler la nature de l'ordre. S'il est intercepté par un service étranger, on ne s'en méfiera pas.

Conway fronça les sourcils.

– Je ne te suis pas.

– Si un ordre qui est connu parce qu'il est fréquemment employé signifie : déployez l'antenne A, on ne s'interrogera pas à son sujet. Mais peut-être que dans un cas précis, pour une cible précise, il signifie : faites sauter la planète. Allez, donnez donc tout ça au contre-espionnage, ils vous en raconteront plus que moi. Dans quelques mois.

Conway se sentait battu. Il aurait voulu attraper Tod par le col et le secouer jusqu'à ce que la vérité lui tombe de la bouche, mais il n'y croyait plus. La petite crapule avait atteint ses limites, il en aurait mis sa tête à couper. Panchine ne rêvait que d'une chose : reprendre tranquillement son existence de fouille-merde spatial. Il n'aurait pas pris le risque de berner le vieil Albert et de mériter un de ces jours de sévères représailles.

Tod vit avec soulagement le flic ramasser en silence ses disquettes. Pourtant, au moment où Conway s'apprêtait à partir, il ne put s'empêcher de lui demander ce qu'il avait l'intention de faire.

– Ce qu'on devrait toujours commencer par faire dans la vie, Panchine. Mon devoir.

Il était 2 heures du matin et Discovery allait décoller dans moins de quarante-huit heures. Dans la maison de Palo Alto, la grande salle était devenue un terrain de camping. Tous avaient tenu à rester. Certains continuaient de boire ou de discuter à voix basse, d'autres étaient affalés par terre ou dans un fauteuil. Kate Rucker somnolait, enroulée dans une couverture, et Dogson ronflait à côté d'elle.

Dale avait réussi à joindre Tod Panchine en début de soirée et lui avait arraché un détail qui peut-être, mais comment y croire encore ? se révélerait utile. Conway se prénommait Albert. A part ça, Tod prétendait ne pas avoir eu de nouvelles du flic depuis un bon bout de temps, et ne pas s'en plaindre.

SiliCOM avait lancé un dernier appel à tout le réseau, associés et correspondants. Conway Albert, enquêteur du FBI. Tout renseignement bienvenu. Il était alors 20 h 30.

Les minutes s'étaient empilées dans la grande salle blanche, étouffant leurs ultimes espoirs.

Vers minuit, les conversations s'étaient brusquement ranimées. Le passage au jour suivant, tout ce qu'il impliquait, avait soudain souligné la nécessité d'agir enfin, même s'il fallait pour cela renoncer à la stratégie à laquelle tous s'accrochaient depuis des semaines. Cette fois, la décision fut prise presque immédiatement. Scott fut chargé d'alerter le directeur des programmes au centre Marshall, ce qu'il avait déjà failli se résigner à faire quelques jours plus tôt.

Il ne parvint pas à le joindre directement. A l'approche des ultimes procédures de contrôle, tout le personnel de la NASA était en effervescence. Personne n'était disponible, à aucun échelon. Scott ne voulait pas parler à un ingénieur de troisième rang. Il lui fallait un haut responsable, absolument. On le fit patienter et la ligne demeura muette durant de longues minutes.

Puis on lui annonça qu'il était hors de question de déranger le chef de projet sans motif précis.

Tandis qu'il attendait encore, Scott eut l'impression de vivre à son tour l'expérience angoissante qu'avaient dû connaître les ingénieurs de chez Thiokol, la compagnie qui fabriquait les boosters, quand ils avaient voulu avertir la NASA qu'à leur avis les joints ne supporteraient pas une température de − 5 degrés. La recherche d'un interlocuteur, le scepticisme, l'hésitation et, au bout du compte, la fin de non-recevoir. Oui, il avait l'impression de savoir déjà ce qui allait arriver.

On lui passa le directeur adjoint des moteurs.

Dale commença d'expliquer les raisons de son appel,

aussi calmement que cela lui fut possible. Son interlocuteur l'interrompit au bout de trois phrases.

– D'accord, d'accord, dit-il. Ne vous fatiguez pas. C'est le douzième coup de téléphone qu'on reçoit. A chaque fois, c'est la même chanson. Les tuiles vont dégringoler, les boosters vont exploser, les Martiens vont capturer la Navette..., et maintenant les Russes, c'est ça? Écoutez-moi, mon vieux, tout est prêt, et le lancement sera un succès. Un succès complet. Rassuré?

– Ici Dale. Scott Dale! Est-ce que vous croyez que...

– Je crois que vous êtes cinglé ou que vous vous foutez de ma gueule, voilà ce que je crois.

– Dale, de SiliCOM! hurla Scott. Je vous appelle de chez moi, à Palo Alto. Vous voulez des preuves?

Il y eut un blanc à l'autre bout de la ligne, puis la voix demanda d'un ton surpris :

– Dale?

– Oui, oui, Dale! Je veux parler au directeur des programmes. Il faut arrêter tout, immédiatement, vous m'entendez? Ce lanceur va être détruit comme le précédent, par le même moyen!

– Quel moyen?

Scott se troubla.

– Je... je ne sais pas. Enfin il s'agit sûrement d'un rayon électromagnétique à hyperfréquence, mais je n'en ai pas la preuve.

Le directeur adjoint des moteurs éclata de rire.

– Impossible. Pardonnez-moi, Dale, mais ça n'a aucun sens.

– J'avoue ne pas en être certain, mais c'est un domaine où les Soviétiques possèdent probablement une avance considérable sur nous. Peu importe. Ce dont je suis certain, c'est que l'arme existe. Et qu'elle a déjà servi.

– C'est absurde.

– Préférez-vous risquer la vie d'un nouvel équipage?

224

Retardez le vol. J'ai besoin de quelques jours. Je suis peut-être sur le point de trouver la parade.

– Écoutez, Dale...

Il avait juste dit ça : *écoutez, Dale*, mais Scott avait fort bien entendu : *mon pauvre vieux, vous êtes complètement cinglé.*

– Je veux parler au directeur des programmes!

– Très bien. Ne quittez pas.

Scott resta immobile pendant une vingtaine de minutes, l'écouteur collé contre son oreille, le cœur battant. Il avait l'impression d'entendre dans le téléphone l'écho des cognements de son sang. Il perçut à un moment un brouhaha d'abord assez vague, puis qui se rapprochait, et crut qu'on allait enfin se souvenir de son existence. Mais quelques secondes plus tard, la communication fut coupée.

Son bras retomba et il se sentit englouti par la sombre marée du désespoir.

Il ne parvenait pas à y croire. Il continua de rôder autour du téléphone sans pouvoir admettre que c'était fini, qu'il ne sonnerait pas, qu'on ne le rappellerait pas.

Et il sonna.

Mais ce n'était pas ce qu'il espérait. Il s'agissait d'un certain Frank Cusher, dont il n'avait jamais entendu parler. Cusher avait eu vent de l'appel à tous les réseaux de SiliCOM. C'était un voisin et ami de ce Michael Black qui était mort assassiné récemment dans des circonstances mystérieuses et au sujet duquel avait enquêté Albert Conway. A l'occasion d'un échange de propos entre Conway et un représentant de la police locale, Cusher avait cru comprendre que l'homme auquel s'intéressait Dale habitait New York, à proximité du quartier portoricain d'Alphabet Town, et qu'il voyait Tompkins Square de ses fenêtres.

Scott reprit la liste abandonnée par Dogson sur son bureau. Il ne lui fallut pas très longtemps pour repérer de

225

façon quasi certaine quel était le bon Conway. Il y avait un numéro de téléphone. Scott laissa sonner pendant plusieurs minutes mais personne ne décrocha.

Il essaierait de nouveau, dès l'aube. Il était 2 heures du matin et Scott alla rejoindre les autres, dans la grande salle blanche.

Il essaierait de nouveau et ce serait sans doute la dernière chance de Discovery.

Chapitre 11

Albert Conway reprit sa voiture à l'aéroport aux premières heures de la matinée. Il avait un peu somnolé dans l'avion mais se sentait toujours aussi harassé. Son costume lui collait au corps et ses joues mal rasées laissaient des stries blanches sur le dos de sa main. La fatigue ne s'était pas dissipée mais son esprit s'était éclairci, lui imposant des événements une vision trop lucide pour être agréable.

Les rues de New York étaient froides et blanches. Conway roulait lentement, songeant avec nausée à la façon dont s'annonçait son destin : un ou deux ans de placard, retraite, ennui. Il ne réussirait pas le coup d'éclat sur lequel il avait rêvé d'achever sa carrière. Dans deux ou trois heures, rasé et douché, il allait se présenter devant Mitchner, son patron, et lui remettre les disquettes. On lui demanderait d'où il les tenait et ensuite, sans doute, on s'étonnerait qu'il ait tant tardé à alerter les services compétents. Il lui faudrait s'expliquer, mentir, admettre il ne savait encore quelle humiliante négligence et accepter avec reconnaissance de prendre sa retraite avec six mois d'avance.

Dans le meilleur des cas.

Au pire, il se révélerait qu'il avait commis une bourde dramatique. Devant les kiosques qui ouvraient, on commençait de placarder les affichettes portant les gros titres du jour.

NAVETTE : LE DÉFI
DISCOVERY : TOUT EST O.K. !
LA REVANCHE DE L'AMÉRIQUE
LES HEURES LES PLUS LONGUES

Il s'efforça de ne pas imaginer ce que seraient les unes de la presse si par malheur quelque chose venait une nouvelle fois perturber le lancement. Quelque chose qui, par exemple, aurait un rapport avec ce qui se trouvait dans sa poche. Il redoutait à présent d'avoir laissé là les disquettes un ou deux jours de trop. La nuit, quand il faisait des cauchemars, Conway rêvait qu'il était assis sur une chaise, une lampe braquée sur le visage, et qu'on l'interrogeait.

Il parvenait dans le Lower East Side. Alphabet Town s'animait déjà. Les étals se chargeaient de marchandises misérables, les transistors braillaient. Dans les sombres gourbis abandonnés, on commençait de sortir les seringues. Peut-être que ce serait sa punition. On l'enverrait là, faire des rondes, à la recherche des dealers portoricains.

Cinq minutes plus tard, Conway se gara devant le petit immeuble de brique au sommet duquel était situé son modeste appartement. L'immense enseigne du snack qui occupait le rez-de-chaussée n'était pas encore allumée.

Il retrouva sans joie l'ascenseur étroit et poussif, le couloir brunâtre qui, plus loin, après un coude et quelques marches, menait aux mansardes. Son trois-pièces répandait une odeur particulière et indéfinissable, comme à chaque fois qu'il le désertait pendant plusieurs jours. A l'instant où il avait ouvert la porte, il avait perçu le grelot du téléphone qui s'éteignait. Il s'était hâté en vain, avait décroché quand même, intrigué par cet appel matinal. Simultanément, et d'un geste machinal, il avait sorti les cinq disquettes de sa poche, le regard fixé sur le tiroir où il souhaitait les ranger. Puis il ôta sa veste et l'accrocha au dossier d'une chaise.

Conway se retourna vivement, devinant une présence derrière lui. Il n'eut pas le temps de se demander s'il n'avait pas négligé de refermer la porte. Deux ombres se profilaient déjà dans l'entrée exiguë. Sans réfléchir, il ramassa les disquettes et se précipita dans sa chambre puis ouvrit la fenêtre, exécutant un plan qu'il avait maintes fois médité mais n'avait jamais cru sérieusement devoir suivre un jour.

Les pas se précipitaient dans son salon mais il avait déjà basculé par-dessus le balcon. Il chercha sous ses semelles le sommet plat de la grande enseigne au néon, se baissa pour attraper un barreau métallique et se laissa pendre de façon acrobatique jusqu'au balcon du troisième. Conway ne doutait pas des ressources imprévisibles de son corps de lourdaud et savait que tout irait bien tant qu'il ne baisserait pas les yeux. Les pieds sur le balcon de ses voisins, serrant les disquettes entre le pouce et l'index, il étreignait à deux bras le O de POLETTI. Le propriétaire du snack n'avait pas lésiné pour faire connaître son nom dans le quartier. Conway savait que s'il atteignait le L, il était sauvé.

Il ne put s'empêcher de regarder au-dessus de lui avant de poursuivre la descente. Les deux types s'étaient penchés et l'observaient par la fenêtre de sa chambre. Il eut l'impression d'apercevoir dans le carreau sale le reflet d'une arme. Mais ils n'avaient aucune chance de l'atteindre. Dans un instant, ils allaient se précipiter pour l'accueillir en bas, dans la rue. A lui d'être le plus rapide.

Il emprisonna du bras l'armature de fer qui suivait le grand tube de néon du L et se laissa glisser pendant quelques dizaines de centimètres. Là, il y avait une petite corniche. Le balcon du second n'était plus loin. Il surprit involontairement, par l'interstice entre deux rideaux, le dos nu d'une femme qui se coiffait en se regardant dans une glace, et alla se poser derrière le E sur la poutrelle scellée dans la façade qui constituait le soutien principal de l'enseigne.

Il avança d'un demi-pas, en équilibre précaire, et s'accroupit lentement. C'est alors qu'une explosion de lumière rouge l'aveugla. Il se sentit basculer dans le vide, sombrant dans un océan de cercles concentriques de couleur. Dans un ultime réflexe, Conway lança ses mains en avant. Elles agrippèrent le tube qui venait brutalement de s'allumer. Il ne voyait toujours que des taches lumineuses. Mais son corps s'était stabilisé sur la poutrelle. Puis il toucha quelque chose, un bout de ferraille ou un fil mal isolé – il ne le sut jamais –, et une violente décharge électrique l'engourdit jusqu'à l'épaule. Conway lâcha prise, déployant ses bras comme un fildefériste. L'espace d'une seconde encore, il crut qu'il allait tomber.

Ses yeux s'étaient fermés. Lorsqu'il les rouvrit, il vit les disquettes qui planaient au-dessus du trottoir inondé par les seaux d'eau que déversait la maison Poletti. La fière enseigne de l'Italien palpitait tout contre lui, en hautes lettres rouges bordées de filets bleus.

Oubliant son vertige, il se colla à la colonne montante et coinça la pointe de sa chaussure gauche un mètre plus bas, dans un petit renfoncement. Il se tenait à un renflement de la canalisation. Il n'avait plus qu'à oser l'avant-dernière acrobatie. Il fallait sauter. Un tout petit saut. Moins d'un mètre. Mais sans élan, sans point appui. Juste une question d'énergie. Il plia légèrement le genou puis le détendit de toutes ses forces, jetant de côté son corps trop lourd.

Ses jambes heurtèrent le parapet, mais il s'affala sur le balcon du premier et non dans la rue. Sans réfléchir, il repassa la rambarde et se laissa tomber sur la marquise de Poletti. Il la savait solide. Conway rebondit sur la forte toile rayée, dérapa et parvint à s'immobiliser le long du cadre métallique qui la soutenait.

La chaussée se trouvait là, deux mètres cinquante au-dessous de lui.

Les deux types finissaient de repêcher les disquettes dans le caniveau sous les yeux médusés de Renato, l'homme à tout faire du snack. Conway connaissait les habitudes méticuleuses de Poletti. Tous les matins, son bout de trottoir était rincé avec un mélange écumant d'eau, de lessive et de solution javellisée. Il ignorait à peu près tout des ordinateurs et de leur fonctionnement, mais il avait appris au moins une chose chez Panchine : les précieuses petites disquettes ne résisteraient probablement pas à un tel traitement. La manière dont les deux types les secouaient et les essuyaient sur leurs manches disait bien qu'ils partageaient l'opinion de Conway. Ils rapporteraient les disquettes à leurs maîtres parce que telle était leur mission, mais ils savaient déjà qu'elles seraient illisibles, irrécupérables. Ils filèrent rapidement, sans plus se préoccuper du flic qui était perché au-dessus de leur tête dans son berceau de toile.

Renato eut sa dernière surprise de la matinée en voyant tomber du ciel la lourde masse du locataire du quatrième. Conway se retrouva à quatre pattes dans la mousse grisâtre qui achevait de s'écouler dans le caniveau. Il se releva péniblement et porta les mains à son visage, prenant soudain conscience de douleurs lancinantes auxquelles il n'avait pas pris garde jusqu'à présent. Son nez et son front étaient couverts de sang.

Il tira un mouchoir de la poche de son pantalon et s'essuya longuement la figure, n'entendant ni ne voyant plus rien de ce qui se passait autour de lui. Il songeait amèrement que décidément il était devenu trop vieux pour faire ce métier. La lassitude qu'il éprouvait ne ressemblait à rien qu'il eût déjà ressenti. L'idée qu'il allait devoir accomplir dans la journée un nouveau voyage long de plusieurs milliers de kilomètres lui soulevait le cœur.

* * *

Tod descendit à Cheyenne dès le début de la matinée. Le premier chèque de Scott Dale était arrivé la veille. Il alla prendre possession du nouvel amplificateur de puissance qu'il avait commandé et fit l'emplette d'une serrure cinq points, garantie inviolable. Ensuite, il déjeuna d'un hamburger et d'un Coca. Dans le *fast food* comme dans les magasins, les citoyens de Cheyenne, d'ordinaire si peu préoccupés par ce qui ne les concernait pas directement, ne parlaient que du lancement de la Navette. Dans l'ensemble, le pronostic était plutôt favorable.

Tod bricola pendant la majeure partie de la journée. Il commença par poser sa serrure, première étape d'un plan à long terme dont le but est d'équiper sa maison d'un système de protection anti-flic à toute épreuve. Ensuite, il brancha son amplificateur tout neuf sur l'émetteur, à la base de l'antenne parabolique. Il escomptait de ce remplacement une notable augmentation de puissance. Quand ce fut fait, ses outils étant sortis, il en profita pour essayer de réparer Big Jim.

– Ce qui serait bien, dit-il en bricolant, ce serait que j'arrive à te dresser comme un chien de garde. Que tu te mettes à hurler quand tu détectes une odeur de cogne.

Le soir venu, le bras du robot était toujours défaillant. Mais Tod jugea qu'il avait perdu suffisamment de temps. Il poussa tout son matériel dans un placard et mit en route son ordinateur le plus puissant, celui qui était branché sur l'antenne.

Il savait qu'une longue nuit de réflexion l'attendait.

232

Désormais, il suffisait que Scott ou l'un des autres membres de SiliCOM s'annonce pour qu'on leur raccroche au nez : leurs appels ne franchissaient plus le standard de la NASA. Ils avaient tenté, en vain, de passer par des voies détournées : sous-traitants, service de presse, amis personnels, épouses de responsables... Personne n'avait accepté de les écouter. Ils avaient supplié Thiokol de leur venir en aide, au nom du drame qu'eux-mêmes n'avaient pas su empêcher, mais là, la réaction avait été franchement hostile.

Ils comprirent en ouvrant la première édition du *Los Angeles Times* qu'ils s'acharnaient inutilement. Le grand quotidien californien consacrait une demi-page à la psychose qui semblait s'être emparée d'une partie de la population américaine à l'approche de l'événement. Un peu partout sur le territoire des États-Unis, des astrologues, des mages, des voyants et autres prophètes de malheur avaient prédit une nouvelle catastrophe. Certains proclamaient que l'homme avait tort de vouloir défier le ciel, d'autres que la conjonction des planètes était néfaste ou le karma défavorable. Dans le Nebraska, un charlatan réclamait cent mille dollars pour protéger Discovery des mauvaises ondes qui le menaçaient. A New York, une vieille Haïtienne prétendait être entrée en contact avec l'esprit de Christa Mac Auliffe et que l'institutrice disparue lors du vol précédent l'avait avertie qu'un second drame se préparait. A Philadelphie, un groupe de mormons s'était réuni dans une église et priait sans trêve pour le salut des astronautes. En Floride, un illuminé certifiait que toutes les fusées américaines exploseraient tant que le pays ne serait pas libéré de l'adultère et des homosexuels. A la fin de cette longue liste, le journal citait deux canulars d'un goût douteux :

un étudiant texan avait construit dans son jardin une grande croix mortuaire qu'il proposait de planter au sommet de Discovery, et une bande de riches et célèbres informaticiens californiens répandait le bruit que les Russes avaient inventé un rayon de la mort anti-Navette.

Rien ne les démoralisa plus que la lecture de cet article. Il était clair désormais que, quoi qu'ils fassent, on les prendrait soit pour des dingues, soit pour de mauvais plaisants.

– Ce n'est pas possible! s'exclama Kate Rucker. Ils savent bien que John Clyde est l'un des nôtres. Comment pourrions-nous...?

– Qu'on ait pu soupçonner ça ne serait-ce qu'un instant en dit en effet assez long sur la réputation que nous avons auprès de certaines personnes, lui répondit Fay.

Malgré leurs demandes répétées, on leur avait interdit de communiquer avec Clyde. Fay avait joint Judy dans la matinée et l'avait trouvée étonnamment stoïque. Judy avait eu l'occasion de parler une dernière fois à John, la veille en fin d'après-midi. Elle lui avait certifié que SiliCOM avait enfin récupéré les disquettes et que la destruction de Cosmos 1692 était imminente. *John vous félicite et vous remercie*, avait rapporté Judy d'une voix horriblement calme. Fay aurait juré qu'elle avait avalé un plein tube de calmants. Et c'était elle, Fay, qui s'était mise à pleurer en disant : *Nous allons y arriver, Judy, j'en suis sûre*. Mais ce fut précisément en prononçant ces mots qu'elle se rendit compte pour la première fois qu'elle n'y croyait plus.

Le dernier soir approchait. Il y aurait encore une nuit, une matinée puis, si rien n'interrompait ou ne retardait les opérations, le décollage aurait lieu à 15 h 42 précises.

Peut-être pas, peut-être pas, se répétait Scott. Comment oseraient-ils, une seconde fois? Quelques jours auparavant, il aurait sans doute réussi à se cramponner à ce dernier espoir. On peut descendre une Navette impunément, aurait-il songé, mais pas deux. Mais aujourd'hui... Tout indiquait que, quoi qu'il puisse se produire, personne n'imaginerait d'en imputer la responsabilité aux Soviétiques. Pourquoi à eux plutôt qu'à un sorcier vaudou, à la conjonction des planètes ou à l'incompétence de la NASA?

Brian, qui se tenait, pensif, près de la baie vitrée, l'avertit d'une voix surexcitée de ce qu'il venait de découvrir en regardant dans la direction de l'allée envahie par la pénombre.

– Scott! C'est lui! Le flic! Conway!

L'un des gardes de la propriété l'escortait.

Scott hésita. Devait-il le conduire d'emblée dans la salle où, l'instant d'avant, il s'apprêtait à rejoindre ses compagnons? Il choisit de voir Conway seul et de le sonder d'abord. Là-bas, il aurait l'impression d'être traduit devant un tribunal.

Scott, qui s'était attendu à trouver un Conway arrogant et sûr de lui, rencontra un homme plutôt mal en point. La joue gauche du flic était gonflée et une cicatrice toute fraîche traçait une diagonale sur son front. Mais, surtout, il avait l'air terriblement las. Il venait de retraverser une nouvelle fois le pays d'est en ouest. Au cours de sa dernière enquête, la plus désastreuse, il avait sans doute parcouru plus de kilomètres que durant toute sa carrière.

– Je sais ce que vous espérez de moi, annonça le flic, mais, autant vous le dire tout de suite, ma visite va être pour vous une horrible déception.

Cela ne ressemblait ni à une mise en garde ni à l'amorce d'un chantage ou même d'une négociation.

Conway s'était effondré dans un fauteuil et il se massait les genoux.

– Je ne les ai plus, ajouta-t-il sombrement.

Il n'eut pas besoin de préciser. Scott comprit immédiatement de quoi il parlait.

– Vous n'avez plus les disquettes?

– Non.

Conway éleva soudain le ton, comme pour dissuader son interlocuteur de le faire avant lui.

– Et je n'ai pas l'intention de vous expliquer pourquoi ni comment. Sachez simplement qu'elles ont été détruites.

Scott blêmit.

– Pas par moi, compléta le flic.

Il se redressa et regarda Dale droit dans les yeux, essayant de se composer un masque parfaitement neutre.

– Je suis venu jusqu'ici pour vous demander de me dire enfin ce que ces disquettes représentaient. Vous pouvez parler librement. J'ai décidé de considérer que l'enquête était close. Si vous le désirez, j'oublierai le contenu de notre conversation dès que j'aurai quitté cette maison.

Scott perçut toute la mortification que Conway s'était infligée en prononçant ces mots.

– Il est sans doute trop tard, Conway. D'ailleurs, je ne pense pas que vous soyez en mesure de comprendre notre attitude.

– Vous refusez?

– Non. Non, après tout, je préfère que vous sachiez. Ceci est un entretien privé, n'est-ce pas? J'ai votre parole.

Le flic acquiesça.

Dale exposa en quelques phrases ce que contenait la disquette Cosmos et les conclusions auxquelles était parvenu Voronine à propos de la mission du satellite soviétique. Conway ne parut pas surpris.

– J'ai commis de graves erreurs, admit-il quand Scott eut terminé, mais que sont-elles à côté des vôtres? J'ai toujours pensé que l'argent et la gloire rendaient fou, monsieur Dale. Il semblerait pourtant que j'aie toujours sous-estimé les conséquences de cette folie. Que croyez-vous? Il n'y a plus guère qu'au Liban qu'une famille ou un clan peut déclarer la guerre à une puissance étrangère. Ce que vous avez voulu faire, monsieur Dale, n'est ni plus ni moins qu'un acte de terrorisme.

Scott serra rageusement les poings, incapable de traduire autrement l'indignation que lui inspiraient les propos du flic.

– Nous avons voulu régler – presque – pacifiquement une situation qui, de toute évidence, pouvait déboucher sur une crise majeure. Pas parce que nous sommes riches et célèbres, Conway. Parce que nous détenions *l'information* et que nous possédions les moyens. Maintenant, dites-moi si nous avons eu tort?

– Je crois qu'on a toujours tort de ne pas faire confiance à son pays. Mais j'ignore si l'opinion d'un vieux flic raté a beaucoup de valeur. Pensez-vous qu'on désire forcément la guerre parce qu'on est flic ou militaire, Dale?

Scott haussa les épaules.

– Je n'ai pas d'avis sur la question.

– Qui vous dit que la réaction des autorités américaines n'aurait pas été la même que la vôtre? Anéantir Cosmos 1692 sans commentaire. Je suppose qu'en effet la riposte aurait été suffisamment éloquente pour n'appeler aucune autre mesure.

– Vous oubliez les sept morts de Challenger, sans parler des Titan, des Ariane... Il y a au Pentagone et ailleurs des tas d'excités galonnés qui ne se seraient pas contentés de cette réplique : un satellite pour sept victimes, une boule de ferraille pour l'arrêt de tout le programme spatial américain pendant plus d'un an.

– Et vous, Dale, ça vous aurait satisfait, cet échange?

– Non. Mais une bombe sur la gueule contre une bombe sur la gueule, ça ne me tente pas non plus. Il arrive dans la vie qu'il soit préférable d'encaisser sobrement tout en montrant à l'adversaire ce dont on est capable, fermement.

– Et qui vous a donné mandat pour décider de la réponse appropriée? Qui vous a élu? Qui vous a choisi?

– C'était la réponse appropriée, Conway.

Le flic hocha lentement la tête, comme si quelque chose, soudain, l'avait convaincu.

– Et maintenant? demanda-t-il. Quelle est l'attitude appropriée?

– Je ne sais plus. Prions simplement pour qu'il y en ait encore une.

Conway se leva et interrogea Dale du regard, comme pour lui demander s'il devait partir.

– Je ne suis pas seul..., commença Scott d'une voix hésitante. La plupart de mes amis de SiliCOM – ces gens que vous détestez tant – sont là, dans une pièce voisine. Je ne peux rien décider sans les consulter.

– Je ne suis pas sûr d'avoir une proposition à leur faire, répondit Conway.

– Je crois pouvoir affirmer qu'ils accepteront de s'en remettre à vous. Le sort de Discovery est entre vos mains.

Le haussement de sourcils étonné du flic ne parut pas feint.

– Oh! ce n'est pas aussi simple, dit-il. Trop de dépenses, vous comprenez, trop de déplacements injustifiés. Le ciboire, les billets d'avion. Pas assez de résultats. Je suis en congé depuis ce matin, en attendant qu'on statue sur mon cas. Je vous l'ai signalé tout à l'heure, n'est-ce pas? L'enquête est close. Il est probable qu'on ne me permettra jamais de la reprendre. Le fait est que... que j'ai négligé de tenir mes supérieurs au courant de la nature exacte de mes activités. Péché d'orgueil, Dale, j'ai commis le même que vous. J'ai voulu moi aussi travailler seul dans mon coin, j'ai cru moi aussi agir pour le bien de mon pays en essayant d'imposer *ma* solution.

– Ils savent toujours qui vous êtes, non? explosa Scott. Vous n'allez pas refuser de prévenir le FBI de ce qui risque de se produire demain parce que vous êtes en congé?

– C'est vous qui me le demandez, à présent?

– Oui. Si mes amis en sont d'accord, oui.

– Très bien. Mais, d'abord, nous allons mettre au point la version officielle. Voronine avait découvert au sujet de Cosmos 1692 quelque chose de très important mais nous ignorions quoi. Les membres de SiliCOM savaient que cette information capitale se trouvait consignée sur un document dissimulé dans un précieux ciboire. Ils voulaient la découvrir avant quiconque.

– Attendez...

– Laissez-moi terminer. Grâce à une patiente enquête, Albert Conway a réussi à récupérer *in extremis* le ciboire que convoitaient aussi bien Dale et ses amis que les services de renseignements soviétiques. Quant à cette *information*, la voici : Voronine avait abouti à la conclusion que le satellite en question était responsable de la destruction de Challenger ainsi que de plusieurs autres lanceurs. Il n'y a jamais eu de disquettes, vous m'entendez? Pas de disquettes, pas de code magique. Voronine n'a jamais découvert le moyen d'anéantir le satellite Cosmos, seulement la preuve des agressions répétées.

– Et le flic Conway a fait du bon travail, c'est ça?

– C'est à prendre ou à laisser.

Conway regarda sa montre.

– Votre ami Clyde va décoller dans moins de vingt heures, dit-il.

La destruction de Cosmos 1692 est imminente.
C'était ce que Judy lui avait affirmé.

Pourquoi imminente? Si Scott avait récupéré les disquettes, il était impensable qu'il ait laissé traîner les choses. Non, il avait agi immédiatement. Forcément.

Et il avait échoué.

Pas encore réussi, c'est-à-dire échoué.

Plus il y songeait, plus cela lui paraissait clair. Judy ne l'aurait pas appelé pour lui dire que la destruction du satellite était imminente au moment même où les techniciens de SiliCOM étaient en train d'opérer. Elle aurait attendu de pouvoir lui annoncer le succès de la tentative.

Ils avaient échoué. Ou peut-être n'avaient-ils même pas pu essayer.

Brave Judy. Brave Scott. Braves amis. Ils veulent que je meure tranquillisé.

Et moi, qu'est-ce que je veux? Que mes compagnons de cercueil crèvent tranquilles? Oui, c'est ça. Ne pas montrer que je suis mort de trouille. Partir confiant, tomber en héros. Avec le sourire. C'est promis, c'est juré. Personne ne verra que je suis mort de trouille. Sa mémoire lui projetait en boucle le célèbre petit film, l'engin qui monte dans le ciel, qui va bientôt disparaître, et soudain ce panache de fumée absurde, puis en bas, sur les visages, l'incompréhension, l'incrédulité, la consternation, l'horreur. Mais eux, au moins, n'avaient pas eu le temps d'avoir peur.

Accepter de mourir à trente-quatre ans, c'était déjà dur. Mais surmonter sa terreur, mais savoir et cacher que l'on sait..., mais admettre que personne, après, ne soit là pour dire : il savait et pourtant il est mort en s'écriant : *Hello! centre de contrôle, le spectacle est magnifique, tout est O.K., nous allons bientôt...*

Silence.

Conway était conscient de la singularité de sa situation. Jamais il n'aurait imaginé qu'il était possible de rallier avec une aussi belle unanimité les suffrages d'un groupe de personnes dont l'hostilité ne s'était pas manifestée d'une façon moins parfaite. Mais, au bout de quelques minutes de discussion, tous étaient convenus que seul Conway pouvait encore – peut-être – empêcher l'irréparable. Même si leur désarroi et leur frustration étaient perceptibles, ils s'étaient inclinés devant l'évidence.

Lorsque la décision eut été votée, Albert Conway prit contact avec Cooper, du bureau de New York, et lui exposa toute l'histoire – ou, du moins, il lui en exposa sa version. Cooper ne fit aucun commentaire. Il était un simple relais. Ensuite, l'information voyagerait vers des sphères auxquelles Conway n'avait pas accès. Malgré son insistance, Cooper ne lui promit pas de le tenir au courant de l'accueil qui serait fait aux renseignements qu'il avait transmis ni des suites qu'on jugerait bon de donner à l'affaire.

Conway avait laissé à son correspondant le numéro de téléphone de Scott. Il rejoignit l'équipe de SiliCOM dans la grande salle blanche et s'apprêta à vivre parmi elle les dernières heures d'attente. Personne n'avait l'intention de dormir. Les jeunes et fringants membres du réseau californien présentaient dans la lumière crue de la salle des figures fatiguées et des joues ombrées de barbe. Ils conféraient à voix basse, dispersés en petits groupes. Parfois, ici ou là, le ton montait, mais le coupable se calmait très vite, comme pris en faute. Le maquillage de Fay était défait et les boucles de Kate emmêlées. Conway restait seul dans son coin, ostensiblement ignoré de tous.

Les appels affluaient sur le système Vidpa. Les adhérents de SiliCOM qui avaient préféré demeurer chez eux et les nombreux associés du réseau venaient aux nouvelles. Depuis quelques jours, le système avait été ouvert aux correspondants du monde entier. Leurs visages s'affichaient sur les écrans, familiers ou inconnus : des amis de toujours mais aussi d'autres à qui une astuce technique avait tout récemment permis de se brancher sur le circuit, des Français, des Anglais, des Allemands, des Japonais, des Coréens, des Australiens... Ils posaient une question brève, toujours la même, et manifestaient, bruyamment ou en silence, la déception que leur inspirait la réponse : rien de neuf, essayons de faire annuler le vol.

Conway, qui suivait avec curiosité ce ballet d'images et de sons, commençait à comprendre ce que représentait le réseau, et pourquoi ces hommes et ces femmes avaient cru en leur pouvoir. Ils se soûlaient de mots et de signaux, finissant par confondre l'apparence et la réalité. Ils s'étaient imaginé que SiliCOM constituait une force par lui-même, oubliant que la structure était aussi faible que les maillons qui la composaient. Maintenant, ils se désolaient, cherchant de façon quelque peu pathétique la raison de leur impuissance, découvrant qu'avec leur union, leur solidarité et leur argent ils n'avaient construit qu'un château de cartes. Conway les sentait prêts à mettre sur la table tout ce qu'ils possédaient, moins peut-être pour sauver John Clyde que pour préserver un rêve, une illusion. Mais la réalité refusait de se laisser acheter et cela les désemparait. Sans cesse, dans la salle comme par les haut-parleurs, les mêmes phrases circulaient : ce n'est pas possible, il faut tenter quelque chose, on ne peut pas renoncer comme ça... Ils ne se souvenaient plus qu'ils avaient déjà renoncé, déjà perdu et que la dernière proposition constructive remontait à plusieurs jours. Ils ne se souvenaient plus que seul le vieux Conway pouvait encore leur épargner le désespoir.

Mais les heures passaient et Cooper ne rappelait pas.

Quand on poussa dans la salle des tables roulantes chargées de cafetières, il y eut une réaction de consternation. Le matin les avait surpris.

Le téléphone sonna pour Conway peu avant midi. Cooper fut bref.

– Nous avons transmis l'information à la NASA, dit-il. Ils demandent une preuve. Une nouvelle interruption du programme spatial leur coûterait des millions de dollars... Et surtout elle serait intolérable psychologiquement. Vous avez deux heures, trois au grand maximum, pour nous faire parvenir cette preuve, Conway. Il serait préférable pour vous que cette démarche n'ait pas été entreprise pour rien.

Conway s'écria que, s'il avait eu des preuves, il les aurait transmises depuis longtemps.

– Sur quoi se fonde votre intervention, alors? lui demanda Cooper d'un ton glacial. Sur une intime conviction?

Conway ne sut que répondre. A contrecœur, il déclara :

– Les meilleurs informaticiens de ce pays ont étudié la question. Des types qui connaissent tout sur les satellites et les ordinateurs. Ce n'est pas mon intime conviction que je vous livre, c'est la leur.

– Le canular de Scott Dale était dans tous les journaux, Conway.

Ainsi s'acheva l'entretien.

Une heure plus tard, les grands réseaux de télévision commencèrent de couvrir l'événement. Des récepteurs furent allumés un peu partout dans l'immense demeure de Scott. L'équipe de SiliCOM s'était soudain éparpillée, comme s'ils redoutaient de suivre tous ensemble ce qui allait maintenant se produire.

Trois ou quatre d'entre eux restèrent suspendus avec acharnement au téléphone, battant le rappel de tout ce qu'ils pouvaient compter de relations haut placées, dans quelque domaine que ce fût. En désespoir de cause, ils tentèrent même de joindre la présidence. Mais, partout, ils se heurtèrent à un mur de scepticisme et d'ironie.

Et sur les petits écrans, lointaine et comme nimbée de brume, se dessinait à présent la forme de Discovery.

C'était à eux qu'il pensait, plus à lui. Ils allaient mourir et ils n'auraient pas eu le temps de s'y préparer. Il aurait voulu leur dire : la porte qui vient de se refermer est celle de notre cerceuil. Nous allons sauter dans... cinquante-quatre minutes.

Cinquante-quatre, cinquante-trois..., il ne savait plus si les chiffres défilaient sous ses yeux ou seulement dans sa tête. Trente-sept minutes avant le moment du départ, le compte à rebours fut interrompu. Une formidable vague de soulagement et de gratitude l'envahit. Mais on annonça bientôt que l'incident avait été causé par un voyant défectueux et les compteurs se remirent à tourner.

Il sentait ses compagnons tendus mais impatients. Quand il vit qu'il venait d'entrer dans les vingt dernières minutes de sa vie, il se demanda une fois de plus s'il avait le droit de se taire. Puis il se demanda s'il avait le droit de parler. Il se souvenait de la polémique qui avait suivi l'accident de Challenger. Les astronautes avaient-ils eu le temps de comprendre, avaient-ils souffert? Personne n'avait tranché.

Il songea que cela n'avait sans doute aucune importance et décida de leur laisser à tous encore vingt minutes de confiance et de bonheur. Non, pas vingt. Dix-huit, dix-sept, seize...

Une question restait posée. A quoi servait-il de faire quelque chose si on n'avait aucun espoir d'apprendre un jour ce qu'on avait fait au juste?

244

Mais l'envie d'essayer néanmoins le dévorait et Tod savait que, même s'il l'avait parfois payé cher, il ne résistait jamais à ce genre d'envie.

Il tournait le dos au poste de télévision d'où s'échappait une rumeur excitée. Tod ignorait les préparatifs du lancement, tout entier concentré sur un autre écran qui lui montrait une série d'inscriptions énigmatiques. Il avait copié subrepticement les cinq disquettes de Conway, mais c'était celle-là, et celle-là seule, qui l'intéressait. La disquette Cosmos.

La transcription du code avait conservé tous ses secrets, mais Tod avait pu vérifier au moins une chose. Les coordonnées affichées au bas de l'écran étaient bien celles de Cosmos 1692. Tous les catalogues considéraient Cosmos 1692 comme un satellite mort, sans affectation connue.

Il le tenait à présent dans la mire de son antenne émettrice et n'avait plus que quelques réglages à effectuer avant de donner l'ordre. Tod avait réussi à reproduire très exactement le signal dont la trace était sauvegardée sur la disquette. Il lui suffisait de le faire transiter par l'amplificateur de puissance, puis l'antenne... pour voir, ou plutôt écouter, l'effet qu'il produirait sur Cosmos 1692 quand celui-ci le recevrait. Mais pourquoi? Mais que se produirait-il? Il ne le saurait probablement jamais et en concevait une insupportable frustration.

A moins qu'au contraire... Cette pensée lui procurait de délicieux frissons. Oui, à moins que le résultat de l'opération soit suffisamment spectaculaire pour que l'écho lui en vienne aux oreilles. Peut-être allait-il déclencher la troisième guerre mondiale? Il n'y croyait pas vraiment mais la supposition, déjà, l'emplissait d'une jouissance mêlée d'effroi. Sans beaucoup d'illusions, Tod avait pointé sa seconde antenne – de réception – sur le satellite soviétique pour essayer de déceler les moindres réactions de Cosmos au moment où le signal l'atteindrait.

Mais le fait d'avoir mobilisé son amplificateur pour l'émission du code lui interdisait de s'en servir pour la réception des messages transmis en retour. Il savait que ses chances de percevoir l'effet qu'il allait produire étaient quasi nulles... et cela, faute de matériel.

Tod en éprouva une telle déception que, sans plus réfléchir, il prit son téléphone pour appeler Dale. Scott décrocha lui-même.

– Allô! Monsieur Dale? Panchine à l'appareil.

– Tod? (C'était la première fois qu'il l'appelait par son prénom.) Que se passe-t-il? Vous avez du nouveau?

– Vos antennes sont-elles pointées sur Cosmos 1692 en ce moment?

– Bien sûr, qu'elles le sont. Ça fait un mois qu'on essaie de le faire bouger. Mais que se passe-t-il?

– Voilà, monsieur Dale, l'autre jour, Conway est venu me voir. Vous savez, ce flic...

– Dépêche-toi, nom de Dieu, et alors?

– Alors, reprit Panchine avec une voix aigrelette, alors, Conway m'a apporté des disquettes. Des trois quarts de pouce.

– Quoi? Que dis-tu? Des trois quarts?

– Oui, c'était grotesque, monsieur Dale.

– Et tu les as encore, Tod? l'interrompit Scott.

– Bien sûr que non, monsieur Dale.

– Bon, tu ne m'intéresses plus, Panchine, dit Scott en raccrochant.

Il entendit une voix hurler dans le combiné.

– Monsieur Dale, attendez! Monsieur Dale, attendez!...

Scott releva l'écouteur.

– Monsieur Dale, ces disquettes, je les ai copiées à l'insu du flic. J'ai leur contenu dans mon ordinateur. Sur l'une d'elles, il y avait un message que je n'ai pas pu déchiffrer; une sorte de code. Monsieur Dale, ce code est destiné au satellite Cosmos 1692. Je ne sais pas ce qu'il provoquera, mais je l'ai reconstitué et je pense que je peux le bazarder sur le satellite.

Tod avait prononcé ces phrases d'un seul jet, sans reprendre son souffle, de peur que son interlocuteur ne raccroche avant de l'avoir entendu.

— Monsieur Dale, reprit-il, j'avais pensé qu'on aurait peut-être pu collaborer, et que vous auriez pu vous servir de vos antennes pour... pour écouter ce qui se passera. J'ai pensé que ça pourrait aussi vous intéresser. Si ce flic y tenait tellement...

— Écoute-moi bien, l'interrompit Scott d'une voix très calme. Si tu fais *exactement* ce que je te dis, si tu le fais – il regarda sa montre – en moins de quinze minutes, je te donne, écoute-moi bien, Tod, je te donne un million de dollars.

— Mais je ne plaisante pas, monsieur Dale, dit Tod timidement.

— Moi non plus, Tod, reprit Scott. Un million de dollars si en moins de quatorze minutes tu fais ce que je te dis. O.K.?

— O.K.! monsieur Dale.

— Ce code, tu l'as reconstitué?

— Oui, monsieur Dale.

— Tu as un amplificateur de puissance?

— Oui, monsieur Dale. Je l'ai acheté...

— Tais-toi. Réponds-moi par oui ou par non. Quelle puissance fait-il?

— Par oui ou par non, monsieur Dale?

— Quelle puissance a ton ampli, Tod, s'énerva Scott.

— 12 500 kilos.

— Combien de temps te faut-il pour le brancher sur ton antenne émettrice?

— C'est fait, monsieur Dale. Je vous ai déjà dit...

— Ça va, Tod, ça va. As-tu fait les tests de contrôle? Ton antenne est-elle orientée très précisément sur Cosmos?

— Pas encore totalement, monsieur Dale. Je m'apprêtais à les faire quand je vous ai appelé. Il me faut environ dix minutes.

– Fais-les en cinq minutes, Tod. La navette part dans moins de dix minutes.

– Comment, monsieur Dale?

– T'occupe pas, Tod. Exécute. Tu le veux, ton million?

Les sept minutes qui suivirent furent les plus longues de la vie de Scott. Il ne voyait plus rien. N'entendait plus. Il était seul. Tout seul. Une crampe commençait à lui engourdir le poignet à force de serrer le combiné, lorsque la petite voix fluette de Panchine lui parvint à nouveau aux oreilles.

– Tout est O.K., monsieur Dale. Ç'a été plus long. Sept minutes. Ça va quand même?

– Vas-y! cria Scott. Vas-y! Envoie-le, Tod.

– Attendez, monsieur Dale. Je dois encore vérifier un truc sur l'ampli.

Et il se précipita sous la table pour enfoncer deux connecteurs. Il entendait la voix de Scott Dale hurler dans le téléphone. A vrai dire, seul le son du téléviseur qu'il laissait branché vingt-quatre heures sur vingt-quatre lui était audible.

Il jeta un coup d'œil vers son poste. Les chiffres s'égrenaient en haut et à gauche du récepteur. Il y eut un plan sur la foule agitée des techniciens tandis qu'on entendait la voix du contrôleur de la NASA. Et, soudain, Tod eut l'impression d'être l'un d'eux, aussi nerveux, aussi blême, aussi trempé de sueur.

Il monta le son du téléviseur puis alla se rasseoir en reprenant le téléphone. Toute l'Amérique scandait le compte des dernières secondes. 20... 19... 18... Comme les ingénieurs du centre, il vérifia d'un ultime regard que tout était en ordre. Indicateurs au vert. Prêt pour le lancement. 10... 9... 8... Un grondement fit trembler le sol.

– *Go, go, go!* criait Scott dans le combiné, sans relâche.

– *Go!* hurla Tod en enfonçant le bouton brun.

248

Discovery s'éleva lentement.

Trente-six mille kilomètres plus haut, dans l'indifférence générale, quelques petits morceaux de métal s'éparpillèrent au sein du silence glacé.

Fay avait caché sa tête dans ses mains. Elle ne s'était même pas aperçue que Scott était encore au téléphone dans la pièce voisine. Brian regardait, fasciné. Moins de deux minutes. La précédente Navette avait vécu moins de deux minutes. Ils entendaient les messages échangés entre Discovery et la base, sourds, brefs et calmes. A chaque jet de flammes, à chaque changement de caméra, ils tremblaient, croyant la fin venue. Mais l'engin poursuivait sa route vers l'orbite assignée, se délestant de la masse des étages inutiles. Trois minutes, puis quatre. Bientôt, les objectifs fouillèrent en vain le ciel pur de Floride. Les applaudissements longtemps retenus crépitèrent dans la salle de presse. La voix du contrôleur s'était raffermie. Tout était *nominal* au dixième de seconde et au centimètre près.

Fay se redressa, à la recherche de Scott. Derrière elle, Brian pleurait et riait en même temps. Puis, peu à peu, tous les membres de SiliCOM se massèrent à leur côté, hurlant leur joie.

– Attendez, attendez, disait Scott en revenant parmi eux.

Il savait, à présent, que plus rien ne pourrait arriver. Cela avait marché. Il avait fait sauter Cosmos 1692. Jamais la perspective de donner 1 million de dollars à quelqu'un ne lui avait procuré plus de joie. Il se demanda même un instant s'il n'allait pas doubler la prime de Tod juste pour le plaisir. Il croisa soudain le regard de Conway et comprit avec consternation que le flic, à cet instant précis, ne songeait qu'à la façon misérable dont s'achevait sa carrière. Peut-être aurait-il préféré voir exploser la Navette plutôt que de se sentir ainsi déconsidéré. Rien ne prouvait, pourtant, que l'affaire fût définitivement réglée.

Une demi-heure plus tard, tandis que Clyde et ses compagnons commençaient leur première ronde dans l'espace, un appel en provenance de Futureland le rassura définitivement à ce sujet. Cosmos 1692 avait disparu comme par enchantement à 15 h 56.

Épilogue

Puis vint le tour de John Clyde.

– Hello! la terre, s'écria-t-il. Hello! Judy, hello! Scott, hello! SiliCOM, hello! tout le monde. Le spectacle est magnifique et tout s'est passé de façon fantastique. Personne n'en a jamais douté, n'est-ce pas? Ça faisait longtemps que je rêvais d'aller saluer ce sacré *cosmos*, et j'ai l'impression que c'est lui qui a eu peur en me voyant arriver. Enfin, comme on dit, pas de nouvelles, bonnes nouvelles.

Il adressa alors un bras d'honneur à la caméra, geste sur la signification duquel les journaux du lendemain allaient se perdre en conjectures.

Cet ouvrage a été réalisé sur
Système Cameron
par la SOCIÉTÉ NOUVELLE FIRMIN-DIDOT
Mesnil-sur-l'Estrée
pour le compte des Éditions Robert Laffont
le 14 mai 1987

Imprimé en France
Dépôt légal : juin 1987
N° d'édition : 30534 – N° d'impression : 6724